神秘的じゃない女たち

イム
オ・ヨンア 訳

柏書房

神秘的じゃない女たち

イム・ソヨン 著／オ・ヨンア 訳

신비롭지 않은 여자들
(SINBIROPJI ANEUN YEOJADEUL)
by 임소연 (So Yeon Leem)

Originally published in Korea
by Minumsa Publishing Co., Ltd., Seoul.

Japanese Translation

Japanese translation edition is published by arrangement with
So Yeon Leem c/o MINUMSA PUBLISHING CO., LTD
through Japan UNI Agency, Inc.

推薦のことば

科学は敵でも神でもなく、私たちの身近な友人でもある、魅力的な探究そのものだ。本書は科学が絶対的で客観的だという古くからある思い込みを、フェミニズムと女性の視点から再検証する。女性の身体、女性の経験と共にあるさまざまな議論が複雑に入り混じった科学の話を読んでいるうちに、私自身も、科学と女性が出合うことで、目の前の壁を飛び越えられる日が来るかもしれないと夢見るようになった。

キム・チョヨプ（『わたしたちが光の速さで進めないなら』著者）

それこそ斬新で先駆的である。我々が今まで男性の立場から科学をしてきたことに気づかされた。科学技術の本質と社会的な位置づけを考察するイム・ソヨンの鋭い洞察力は、多様な分野の最新知識を親しみやすく、かつ興味深く伝えてくれる。女性が参加し、女性の観点で創造されるフェミニズムと科学技術の研究は人類の希望だ。科学とは縁遠い一般の人たちに届けられた招待状に、あなたも頷《うなず》いていることだろう。

チャン・ハソク（『水はＨ２Ｏなのか？』著者）

［凡例］

・本文中の〔　〕は訳者の補足である。
・外国語資料からの引用は、邦訳のあるものは既訳を参考にしながら新たに訳出した。
・韓国語文献の出典は、脚注では日本語訳のみ記し発行地を併記したが、参考文献では原語のみを示した。

はじめに

神秘的じゃないすべての人のために

数億匹の精子は一つの卵子を目指して向かっていく。精子は途中で酸化ストレスを受けて損傷したり、マクロファージ（大食細胞）に捕捉されてしまったりして行く手を阻まれるケースもある。険しいレースの果てに、たった一匹の精子だけが卵子を包む透明帯《とうめいたい》を潜《くぐ》り抜けて勝者になる。生命の誕生は、このように数億分の一の確率で精子が卵子と出合って始まる驚きの過程なのだ。

これまで卵子と精子の受精過程は、おおかたこのように描写されてきた。精子は独自の推進力を持った能動的な存在で、受精過程はこの能動的な精子が受動的な卵子を捕獲する過程なのだと。まるで積極的な男性が女性を獲得する話のように聞こえる。ところが現実はこうだ。

巨大な精子の群れが波のように動きながらどこかへ流れていく。ときには壁にぶつかったり、ときにはぬめりのある粘液のなかでもがいたりしながら。群れの一部が卵子に近づいていってうろうろしていると、卵子はしばし時間をおいてからそのうちの一つを引き寄せる。生命の誕生は、こうして気難しい卵子が精子を選択して始まる驚きの過程なのだ。

これこそが、まさに今の科学の話である。２０２０年6月初旬、スウェーデンのストックホルム大学の研究陣が公表した研究によれば、卵子は精子たちが競って獲得するターゲットではない。[1] 卵子は化学的な信号《シグナル》を送り、自らが選んだ精子を引き寄せる。精子が卵子の濾胞《ろほう》液に含まれる化学物質に反応して移動する受動的な存在ならば、卵子は最後の瞬間まで受精に適合した精子を選び取る能動的な存在だ。

今も多くの人に馴染みのある「競争的な精子と慎《つつ》ましい卵子」の話は、１９７０年代からすでに科学者の実験室から追い出されはじめていた。実験室の外の世界では、人間の二つの生殖細胞に伝統的な男女のイメージが相変わらず植えつけられているというのに。

科学は今、女性のそばに近づいてきて、あてもなくさまよっている。知らなければ知らないまま生きていくのだろうが、科学が私たちの暮らしに直結しているという事実は否定できない。自分の専攻分野や職域ではないとしても、科学は自分の体とこの世界を説明する言語であり、ひとりひとりの日常を満たしている無数の存在そのものなのだ。

科学は一つではない。女性の周辺をさまよう科学のなかには、女性をよく知らない科学もあれば、女性を遠ざける科学もある。けれども、女性の友だちになれそうな科学だって存在する。女性の観点からこうした違いをきちんと分別することが大切だ。そうでないと、適切な科学をしっかり選び育んでいけない。

女性の敵だった科学

卵子と精子についての知識を生産する生物学は、生物と人体についての科学であるため、性差別的な認識の影響を強く受けながら、性差別的な構造を正当化する道具として利用されてきた。このため、科学のなかでも特に生物学に対しては、フェミニズムから批判が集中してきた。

1 Fitzpatrick, J. L. et al., "Chemical signals from eggs facilitate cryptic female choice in humans," *Proceeding of the Royal Society B* Vol.287, No. 1928 (2020).

生物学は、男女の身体機能および違いについての知識を生産し、女性を差別する根拠を強化するのに一役買った。代表的な事例が18世紀半ばに登場した骨格学（Skeletology）だ。イギリスの解剖学者ジョン・バークレイは、解剖学の本で女性とダチョウの骨格、男性とウマの骨格を並べた。ダチョウと並んで比較された女性の骨格は、小さい頭蓋骨と広い骨盤が大きく描かれていて、これは低い知能と出産機能という女性の身体的特徴を男性のそれと対照するためだった。[2] つづいて登場した19世紀のダーウィンの進化論と20世紀以降の遺伝学・神経科学は、男女の生物学的差異を明らかにすることに没頭した。科学がときに秘密めいた、ときに露骨な性差別と偏見を表してきた歴史だ。

そもそも女性の身体は、科学的探究の対象から外される場合も多かった。主に男性とオスの動物を対象にした医薬品開発や生命科学研究は、女性の体への科学の無関心を反映していて、実際に女性の健康を脅《おびや》かしてさえいる。心筋梗塞《こうそく》、狭心症《きょうしんしょう》といった心臓疾患は、中年男性がかかる病《やまい》として知られているが、死因別死亡率でみると、60代以上の女性と男性のどちらも、心臓疾患による死亡ががんに比べて2倍にもなっていることがわかる。[3] 大多数の診断基準は、男性を対象にした臨床試験の結果にもとづいているため、女性患者の示す前兆はときどき別の疾病の症候として誤認されることがある。正確な診断を受ける時点でも、治療を受ける時点でも、手遅れになるほかないのだ。

科学が女性科学者をぞんざいにしてきた歴史は比較的よく知られている。フランスの物理学者マリ・キュリーは、偉人伝シリーズには欠かせない有名な科学者だ。そんな彼女も、女性だという理由でノーベル物理学賞候補から除外されるところだった。委員会はキュリーを、夫のピエール・キュリーの男性同僚アンリ・ベクレルと同等の共同研究者とみなさなかったのだ。キュリーがフランスのソルボンヌ大学初の女性教授として任用されたのも、夫が交通事故で突然亡くなったからだった。

科学界の性差別的な態度は、21世紀に入ってもさほど変わらないように見える。2015年、科学ジャーナリスト世界会議の基調講演のために韓国を訪れたイギリス人ノーベル生理医学賞受賞者のティム・ハントは、女性科学者を卑下《ひげ》する発言で物議をかもした。彼は女性科学者たちを「少女」と呼び、女性が研究室にいると、周囲の男性が女性に恋に落ちて困る、男性の批判に女性が泣かされることになるから性別によって分離された実験室をつくろう、などという冗談《ジョーク》を言い放ったのだ。彼の妻も、免疫学の分野で大学教授を務

2 ロンダ・シービンガー『頭脳は平等だ』チョ・ソンスク＝訳、ソヘ文集、2007年、7章〔韓国〕〔邦訳は『科学史から消された女性たち　改訂新版――アカデミー下の知と創造性』小川眞里子＋藤岡伸子＋家田貴子＝訳、工作舎、2022年〕

3 統計庁「2020年死因統計結果」2021年9月28日〔韓国〕

める女性科学者だというのに。

これは長年にわたり女性の敵だった科学の歴史である。女性の体を歪曲《わいきょく》し、排除し、女性研究者の存在を消そうとする知識体系と制度を改善するために、女性たちは勇敢に闘ってきた。フェミニズムが長いあいだ、科学に対する批判者的立場を自認してきた理由がここにある。はなから不利な状況で女性の立場に立った彼女たちは、科学に覆いかぶさった客観性と普遍性、価値中立性という神秘のベールをまくり上げたのだ。

放置しておくにはあまりにも強力な科学

科学の歴史のなかで男性は知識の探究者であり、知識はまさに探究すべき対象として描かれてきたが、女性は科学者としても科学の対象としても存在しなかった。だからといって、永遠に科学と敵対して生きていくわけにはいかない。批判だけで変えられるものなどない。ただ、そのまま放っておくには、科学は私たちの人生にあまりにも大きな影響を与える。卵子の能動性を発掘した研究からもわかるように、私たちに、女性の体について無知のままにしておくという選択肢はない。

本書は、女性の観点から科学を新たに見つめ、科学の観点から女性の体と経験を新たに理解しようとする試みである。このように女性と科学の両側から探究するには、個々の女性科学者だけでなく、科学の内外にいる人たちと共に取り組んでこそ、力を発揮できる。

今までは科学に関心がなかったり、むしろ嫌いだったとしてもかまわない。反対に、あなたが科学に詳しかったり、科学が好きで、現在科学界に従事していたりするならば、なおよいだろう。どちらに属するにせよ、慎ましく、社会で期待される女性あるいは男性の役割を果たしながらも、何かが与えられるのを待っていたり、与えられることが当たり前だと思っていたりする人でない限り、あなたは本書の完璧な読者である。なかでも私は、科学と分かり合えなかった経験のある人たち、そのせいで科学の本にはなかなか手が伸びないという読者を思い浮かべながら本書を執筆した。ほかでもない、私がそういう人間だったからだ。

私は科学を嫌い、憎んでいた。そんな私にも科学を好きだった時期があって、それは小中学校時代にさかのぼる。数学者を夢見ていた当時は、数学と科学が苦手な友だちのことが理解できないほど、数学と科学に夢中になっていた。この夢は、科学高校に進んでしばらくすると砕けてしまった。そこには、私よりも数学や科学の得意な友人たちが本当にたくさんいた。天才にはなれないとわかると、私は科学が嫌いになった。科学のせいでこんな気持ちにさせられたと、科学を恨んだ。当時は科学が得意な人だけが、それを愛せるのだと思っていた。

再び科学を好きになれたのは、フェミニズムのおかげだ。最初は科学を批判するのがおもしろかった。客観的で厳密に見えていた科学知識がジェンダー・ステレオタイプやジェンダー・バイアスから影響を受けているという事実をひとつずつ知っていく過程は、痛快そのものだった。科学が汚染されていたのだとわかると、科学として正当化されている主張や行為に以前のように影響を受けなくなった。私が女だという理由で科学者の道を諦めたのだと気づけたのもよかった。科学者になれなかったのは能力が足りなかったせいじゃないという気づきも大きな慰めになった。こんなに科学が性差別的だったなんて、むしろ科学者にならなくて本当によかった。悪い科学を信じる代わりに、女性の声に耳を傾けるほうがずっとましに思えた。科学の権威から解放されると、気持ちが楽になった。

フェミニズムがもたらす痛快さと解放感に浮かれていた私の足が地についたのは、科学技術社会論（ＳＴＳ）のおかげだ。科学技術社会論は、科学技術が社会と相互に影響を与え合う過程や、その意味を人文社会科学的方法論で研究する学問だ。知識がつくられる時代によって、またその知識を生み出す科学者が誰であるかによって、あるいはその誰かがどのような意図をもっていたのかによっても変わってくるとみなす観点は、フェミニズムと通じるものがある。フェミニズムとの違いは、知識の生産が純粋に人間の意思と意図のみで決まるわけではないとしている点だ。自然は、人間の言語に従属する受動的な存在ではない。人工知能（AI）やロボットのケースを見てもわかるように、技術的人工物は人間が書いたシナリオ通りにばかり作動するわけじゃないのだ。

科学技術社会論がもたらす最たる教えは、自然は天才の所有物じゃないという事実である。新たな知識を生産するためには、一瞬のひらめきと同じくらい、繰り返される実験を誠実に続ける労働がともなう。一本気《いっぽんぎ》な天才より、社会問題に関心のある科学者のほうが、革新的な技術を開発できる。いわゆる天才ばかりが科学者になったら、科学は似たような方向に発展しながら似たような問題ばかりを繰り返すようになる。天才ではないが、よりよい世界づくりに貢献したいと願う平凡な人たちが集まってこそ、科学は変化する。科学がより大勢の女性の体を研究し、より大勢の女性が科学を研究するとき、科学は女性のためのもっとも頼りがいのある友だちになるはずだ。

科学と友だちになる方法

本書は、フェミニズムと科学技術が出合う現場にせまっていく。女性の健康を増進させる科学、女性の人生と体・経験へのより深い理解を助けてくれる科学、女性が生産し、分析した科学を紹介するつもりだ。つわりやうつ病、卵子凍結からサイボーグにいたるまで、最新の科学技術の事例を概観していく本文は、大きく6つの核心的な思考から成り立っている。女性の立場から科学にアプローチしたり、科学から女性のほうへアプローチしたりするとき、決まってぶつかる論争点を科学的根拠《エビデンス》と共に検討した結果だ。同時にこの探究は、自身の人生と体・経験をもっと理解しようとする女性、日々奮闘している女性と共にあろうとするすべての人のためのものでもある。

一つ目、生物学的実体（生命システム）は存在する。自然は、望めばそのつど更新《アップデート》したり、書いたり消したりできるソフトウェアではない。レシピさえ変えればさまざまな料理をつくれる食材でもないし、どんなものでも入れられる空っぽの器でもない。自然は、自然だけの言語と力を持つ存在だ。科学技術とは、まさに自然の言語を理解し、自然の力と力を合わせようとする努力である。今の科学技術がそうした努力の唯一無二の形態だと断言はできないが、もっとも信頼のおけるものであることは明らかだ。科学技術が生み出す論争と異見は、不信ではなく信頼の根拠となる。1章と2章では、性染色体と脳という生物学的な実例を中心に、生物学的差異《セックス》と社会的性差《ジェンダー》についての論争をあらためて検証する。

二つ目、神秘的な女性たちを崇《あが》めるのはやめよう。神秘さというのは、たいていの場合、美でラッピングされているが、神秘のもう一つの名は無知だ。社会はときどき女性の無知を持ち上げたり、放置したりする。憂うつな女は魅力的で、子どもを身ごもった女は神々しいというイメージがさまざまな場所で再生産されるとき、現実の憂うつな女性は自らの体を痛めつけ、子どもを身ごもり産んだ女性は別の生命体の無事を最優先するようになる。女の体を理解できなければ、死にゆく女たちを助けられない。3章では過食症・うつ病と関係のある腸についての研究を、4章では胎児ではなく胎盤を中心に新しく定義される妊娠について扱う。

三つ目、母親の責任の大部分は、母親のものではない。健康な子どもを産むためには、卵子と健康な女性の体が必要だと皆が口をそろえる。新しい生命の健康はみな母親の責任のように見えるが、ほとんどの場合がそうじゃない。しかし、父親の問題とされてこなかったものの大部分が、実は父親の責任である。よって、女性に押しつけられた社会責任を、これからはあるべき位置に戻さなければならない。5章は父親になるつもりのある男たちに、今からでも体づくりをしっかりすべきだという現実的なアドバイスをする。6章ではすべての人間が卵子と精子の結合から始まったのならば、精子の生物学も卵子のそれと同じくらい重要であるという自明の事実について説明する。

四つ目、ジェンダー平等社会とはどうあるべきかについて考えようとするエンジニアこそが、革新《イノベーション》を成し遂げる。偽りの革新が社会のもっとも古びた思い込みを頼りにするとしたら、真の革新は社会を新たに変革する。7章と8章では現在、最新技術として注目されている人工知能とロボット技術の限界を明確にし、改善のためのアイデアを提案する。人工知能が学習するデータは常に過去からくるものであり、ロボットは違和感を抱かせないために過去の固定観念《ステレオタイプ》を再現する。こうなると、私たちの技術は永遠に過去から抜け出せないかもしれない。過去からやってくる偏向《バイアス》を必死に制御するよりも、その技術自体のバイアスを可視化してみるのはどうだろう？　あるいは、過去のステレオタイプをそのまたどるのではなく、ひっくり返して揺さぶってみるのはどうだろうか？　創造的《クリエイティブ》かつ革新的《イノベイティブ》な現職工学者たちよ、ぜひチャレンジしてみてほしい。

五つ目、フェミニズムは科学の外にもあるし、科学の中にもある。9章と10章では、フェミニズムの主な批判対象である進化論や、これまでフェミニズムのテーマでは活発に取り上げられることのなかった物理学のなかでフェミニズムを論じる可能性を模索する。進化論はフェミニズムの敵のように見えるが、そのなかにも奮闘する女性進化論者たちがいる。同じように、よりよい物理学のためにも、女性とフェミニズムの協力が必要だ。フェミニストよ、科学者になろう。ここには未来のフェミニスト科学者のための仲間もたくさんいる。

六つ目、フェミニスト科学技術論（フェミニストSTS）を拡張できる理論的可能性を探そう。21世紀に発表されたダナ・ハラウェイの「サイボーグ宣言」（邦訳『猿と女とサイボーグ　新装版――自然の再発明』高橋さきの＝訳、青土社、2017年所収）には、どんなメッセージが込められているのだろうか？　自然と女性を関連づけるエコフェミニズムは、今日《こんにち》の女性に有効な理論だろうか？　技術と結合し自然と連結することで、女性たちは自分自身を、世界を、よりケアできるようになる。技術で体を支配し変形するサイボーグ戦士は、もはや過去の世界の主人公だ。科学技術と自然の対立が20世紀の構図ならば、21世紀は日常にサイボーグが生きる世界といえる。人間ではない存在たちの結合と連結は、毎日ケアをすることと同じである。彼らは、ケアし、修繕し、整え、そしてまたケアする。彼らの体を、科学技術を、地球を。

今、韓国社会では、女性をはじめとするマイノリティおよび社会的弱者についての関心がいつになく高まっている。気候変動や感染症の大流行という現実とかみ合いながら、科学技術の力と限界について活発に論議されている。女性と科学を共に探究するために、これ以上ふさわしい時期はないかもしれない。本書で紹介する科学研究をたどっていくと、いつのまにか科学が身近なものに感じられるだろう。科学は敵でもないが、神でもない。すでに身の周りに存在しているものだ。

適度な親近感と適度な信頼は、友だちの条件であり美徳だ。ときには科学の力を借り、ときには科学にアドバイスしたり一緒に参加したりしながら、科学のことを助けてあげよう。興味のなかった科学のことがもっと知りたくなり、他人事だった科学が自分事として感じられるようになるだろう。私がそうだったように。

目次

1章

性染色体は存在しない

「1000万年後には男性が消える?」「男性の消滅?」「男は終わった」

ある科学研究を取り上げた国内外のマスコミ記事のタイトルである。一体なぜこんなにも、男性の不安をあおるようなタイトルが並んでいるのだろうか。2002年、オーストラリアの遺伝学者ジェニファー・グレイヴスが世界的な科学雑誌『ネイチャー』に寄稿した内容は、将来的にヒトのY染色体が消えるという挑発的な主張だった。[1]

ヒトの染色体[2]は23組(2本一組で46本)だ。そのうち、1番目から22番目のペアまでは「常染色体」と

1 Jennifer. A. Graves & R. John Aitken, "The future of sex," *Nature* Vol.415 no.6875 (2002).

2 ヒトの遺伝物質は細胞が分裂する際一時的に凝縮し、顕微鏡で観察できる形になる。細胞の中にあって複数の遺伝子が記録されているものを染色体と呼ぶ。

呼ばれ、最後のペアだけ「性染色体」という別の名前が付いている。人間の性別を決定づける染色体であることからこう呼ばれる。性染色体のペアがXXなら女性、XYなら男性。ここまでは、私たちが科学の時間に学んだ内容である。

グレイヴスは、Y染色体は生殖過程で同じ染色体とはペアにならないため、長い時間をかけて徐々に遺伝子を失ってきたと説明する。X染色体の場合は、X染色体同士でペアになれば、どちらか一方に欠陥があってもその遺伝物質を（正常なX染色体とのあいだで）組み換えることで遺伝子の状態を保つことができる。だが、常にX染色体とペアになるY染色体は、（Y染色体の遺伝子に異常が起きたとしても）このような方法を取ることができない。

3億年前にはじめて人類が出現したとき、1500個あまりの遺伝子があったY染色体は、現在50個ほどしか残っておらず、残りは全て消失した。100万年ごとに5個ずつ消える計算で、このままいくとY染色体は1000万年後（500万年後とする説もある）に地球上から姿を消すことになる。

しかし、グレイヴスが主張したのはY染色体の消滅であって、男性の消滅ではない。どうしてY染色体退化説が男性消滅説に組み変わってしまったのだろうか。人々はあまりにも当然のこととして、Y染色体を生物学的男性の象徴だと思っている。

男性の象徴となったY染色体

ヒトの性染色体に関する研究は、1920年代、性ホルモンの研究と同時に本格的に始まった。当時、性染色体は「アクセサリー染色体（accessory chromosomes）」、「特殊染色体（idiochromosomes）」、「異形染色体（heterochromosomes）」など、性別を決定づける機能とは関係のない名前で呼ばれていた。精子やショウジョウバエの染色体という存在、ひいては「異常な染色体」（性染色体）という存在を認識した研究は、19世紀後半から行われていたが、当時の細胞生物学者や遺伝学者らは性染色体そのものではなく、性染色体特有の機能を通じて遺伝現象全般を理解することに関心を持っていた。

1920年代の性ホルモン研究は、今日の遺伝子研究と同様に、学界やビジネス界、そして世間の注目を集めた。製薬会社はエストロゲン、プロゲステロン（いわゆる「女性ホルモン」）などの研究で、妊娠補助剤や避妊薬、ホルモン療法の開発を試みた。一般の人も、性ホルモンに関する報道を日常的に目にするようになり、男女の身体の仕組みに関する科学者の話に耳を傾けた。

ほかの研究に比べると比較的あまり注目されてこなかったヒトの性染色体研究は、性ホルモン研究とセットで人間の性を究明する科学分野の一つとして専門化された。性ホルモン理論は、受精卵が胎児に成長する過程で性別が決まっていく「性的可塑《かそ》性」のように、既存の性染色体研究では十分に説明できなかった事例を見事に補完するように思われた。ヒトの染色体の最後のペアが性染色体と呼ばれ、性別の象徴となったのもこの頃だ。

　性染色体のなかでもＹ染色体は、１９６０〜１９７０年代に行われた大々的な研究を通じて男性の象徴として位置づけられた。１９５９年、Ｙ染色体が男性の性別を決定するということが分かると、Ｙ染色体を二つ持つ男性は「スーパー男性／超雄（super male）」と呼ばれ、集中的に研究されはじめた。ＸＹが男性ならＸＹＹはスーパー男性ということになり、科学者らは男性という性の生物学的根拠をそこに見出そうとしたのだ。イギリスの細胞遺伝学者パトリシア・ジェイコブスは、暴力的な性向のある精神疾患で入院した患者のうち、３・５％がＸＹＹであるという事実を偶然発見し、１９６５年『ネイチャー』に「余剰のＹ染色体が異常な攻撃的行動を起こす」という内容の論文を発表した。[3]

　ジェイコブスのこの主張は、多方面に甚大な影響を及ぼした。この論文をきっかけにして、１９６０〜１９７０年代に行われたヒトのＹ染色体に関する研究の82％を、ＸＹＹについての研究が占めることになる。[4] １９７０年、アメリカ国立衛生研究所（ＮＩＨ）傘下の精神衛生研究所は、ＸＹＹ染色体異常（ＸＹＹ症候群）をテーマにした公式報告書を発表し、ＸＹＹ男性の社会的行動と法的責任について50ページを超すボリュームで取り上げた。[5] そして、XYYの象徴的なイメージは大衆文化にも広がる。1976年にイギリスで放送されたテレビドラマ『The XYY Man』（原題）の主人公は、余剰のY染色体のせいで生じた犯罪衝動を抑制しつつ、悪を退治する英雄として描かれた。

ジェンダー・バイアスがつくったY染色体研究の黒歴史

Y染色体から男性性の本質を無理やり見出だそうとする試みがストップするまでには、10年以上がかかった。1976年、1977年と立て続けに発表された大規模な疫学調査は、次のように指摘するものだった。XYY男性の97%に犯罪履歴がなく、暴力的性向が見られるXYY男性患者の攻撃性は、XY男性患者の攻撃性と大きな差はない。[6] 方法論上

3 Jacobs, P. A. et al., "Aggressive Behaviour, Mental Sub-normality and the XYY Male," *Nature* Vol.208 (1965), pp.1351-1352.

4 Sarah S. Richardson, *Sex Itself* (University of Chicago Press, 2013).〔邦訳はサラ・S・リチャードソン『性そのもの――ヒトゲノムの中の男性と女性の探求』渡部麻衣子＝訳、法政大学出版局、2018年〕

5 National Institutes of Health and Saleem Alam Shah, *Report on the XYY Chromosomal Abnormality* (Chevy Chase, MD: US GPO, 1970).

の問題も深刻だった。既存の研究者たちは、Y染色体と関連した攻撃性がいったい何なのかをそもそも厳密に定義しておらず、XYY男性の暴力的性向に影響を与えるだけの環境的要因を十分に考慮しなかった。Y染色体が暴力的な男性をつくるメカニズムを説明したり、そのことを実験で立証したりしようとする研究もなかった。

ちょっと考えてみよう。Y染色体が余分にもう一つある染色体異常が身体機能の問題を引き起こすと仮定するのではなく、攻撃性を決定する遺伝子の効果を高めるのだと判断した点からして、首をかしげたくならないだろうか。ジェイコブスの研究で同じ保護施設にいた男性患者のなかには、XYY男性がXYY男性と似たような比率で存在していた。にもかかわらず、あえてY染色体のほうを暴力的性向と結びつけた点もすっきりしない。暴力的性向を男性的特徴とみなす当時のジェンダー・バイアスが、科学研究にも影響を及ぼしていることは否定しがたい。

20世紀半ばのスーパー男性（超雄性）理論は、科学の黒歴史として残っている。今ではY染色体が性別を男性に決定すること自体が科学的に誤りだとわかっている。1980年代にヒトの遺伝子研究が盛んになり、Y染色体のなかでもさらに性別を決定づける遺伝子が究明された。しかし1990年代末になると、その遺伝子が性別を男性に決定する唯一の物質ではないことが明らかになった。2000年代以降の研究は、男性の性決定と生殖に関する遺伝子がX染色体に集まっていると説明している。ひいては、3番染色体や9番染色体のように、常染色体に位置する遺伝子が、男性の睾丸《こうがん》をつくる際に関与しているという事実も分かっている。[7]

女性のものではないX染色体

Y染色体の事情がこういうことであるならば、X染色体と女性性を関連づける研究は、これまでになされなかったのだろうか？　実は、性決定のメカニズムが研究されていた初期には、科学者たちはX染色体が性別を決定するのだと考えていた。こうした考え方は当時、遺伝学研究で主に使用されていたショウジョウバエの染色体の特性から始まった。ショウジョウバエの性染色体がXXとXYの二種類だという点はヒトと同じだったが、

6　Herman A. Witkin et al., "Criminality in XYY and XXY Men: The elevated crime rate of XYY males is not related to aggression. It may be related to low intelligence, " *Science* Vol. 193, no.4253 (1976); Herman A. Witkin, Donald R. Goodenough, & Kurt Hirschhorn, " XYY Men: Are They Criminally Aggressive?," *Science* Vol.17 no.6 (1977).

7　Sarah S. Richardson, op. cit.

ショウジョウバエの性別は、X染色体と残りの性染色体との比率によって決まっていたからだ。

研究に必要な細胞をどこから持ってくるかという問題もあった。細胞内の染色体を観察する科学者がもっとも手に入れやすい材料は、卵子やほかの身体組織よりも数が多く、採集しやすい生殖細胞、つまり精子だった。女性の卵子にはX染色体しかないが、男性の精子はX染色体を持っているものもあれば、Y染色体を持っているものもある。当時通用していた論理は、卵子がX染色体を持った精子と出合うと女の子、Y染色体をもった精子と出合うと男の子になるため、X染色体が女性を、Y染色体が男性を決定するというものだった。

X染色体とY染色体が、それぞれ異なる二つの性別を決定する染色体として考えられるようになるにつれて、X染色体の機能に関する新たな問いが浮かび上がった。女性は、性別を女性に決定するX染色体が二つあることになるが、余ったX染色体はどのように機能するのだろうか?

スーパー男性に関する研究を進めた科学者たちが「男性性」にはまっていたように、余分なX染色体は「女性性」と結びつけられた。X染色体の「モザイク性」は、この余分なX染色体の作動を理論化したものだ。1961年、ジェイコブスと同じイギリス出身の細胞遺伝子学者メアリー・リヨンは、メスのマウスがX染色体に関連した疾病にかかりにくい理由を突き止めた。メスのマウスの染色体を観察した結果、二つのX染色体のうち、どちらか一つが不活化されていることがわかったのだ[8]（ランダムなX染色体の不活化）。X染色体異常による遺伝性疾患の場合、女性はX染色体のうちの一つに異常があっても、正常なほうのX染色体が活性化するため、発病率は著しく低い。他方、X染色体が一つしかない男性は、遺伝性疾患の発現を防げない。X染色体異常で先天的に血液凝固因子をうまくつくれない血友病患者は、ほとんどが男性だ。女性は遺伝的欠落があっても、症状がめったに現れない。二つのX染色体のうちどちらか一つが不活化されるモザイク現象によって、女性と男性は機能的には同じになる。モザイク現象は、両性の異なる遺伝体にもよく見られる。

X染色体のモザイク性は、X染色体が生物学的女性の資質とは無関係であることを示す科学的根拠《エビデンス》だ。後続研究たちはモザイクが間違って起きると、性決定ではなく個体の生存自体に問題が発生するという事実を明らかにした。ところが、２０００年代序盤までは、

8　Mary F. Lyon, "Gene Action in the X-chromosome of the Mouse (*Mus musculus L.*)," *Nature* Vol.190 no.4773 (1961).

この現象は女性の「キメラ」的な気質を説明する際に用いられた。女性は性格をコントロールできないとか、気分が変わりやすいという偏見と関連づけられたのである。最近の動物研究は、X染色体と女性性を結びつける通念に完全に相反する結果を見せている。それぞれXYとXXYのオスのマウスを研究した結果、X染色体を一つ多く持ったオスが性的行為をより多く行う様子が観察されたのである![9]

性染色体は性決定のためだけに存在しているのではない。ほかの染色体のなかにも性決定に影響を与える遺伝子はたくさんある。Y染色体が性別を男性に決定しないように、X染色体も女性であることを決定しない。となれば、はたして性染色体をいつまで同じ名前で呼び続けるべきだろう?「性染色体」と呼ばれる前の名前に戻してはどうだろうか?

性別は実在し、傾いている

性染色体は性別を決定しない。これは性染色体だけの話ではない。性別を決定する唯一の要素はない。となると、いったい「性別」とは何なのだろうか? 男性らしさと女性らしさの本質を見つけようとする科学者たちの試みは失敗に終わったが、後続研究は、性決定の過程で、さまざまな遺伝子とホルモンが動員される事実を突き止めた。現代医学は、性決生まれる前から決まっている性別ではなく、個人のジェンダー・アイデンティティと一致する性別で暮らせるようにするための外科手術とホルモン療法を開発した。

性別についての科学的な事実と同じくらい、科学研究における性比の不均衡問題も重要だ。1997〜2000年、アメリカで副作用の問題から販売中止になった薬品10個中8個について、女性は男性よりもはるかに深刻な症状を訴えた。アメリカ食品医薬品局（FDA）の承認を経て販売された製品が性別によって効果が異なった理由は、生命医療分野の多くの研究が男性とオスの動物を主に実験対象としていたからだ。私たちの生活に欠かせない医薬品の効能を扱う薬学での実験動物のオスとメスの比率は、5対1である。女性患者が半分以上である脳疾患研究における女性被検者の比率は、31％にしかならない。[10]

はっきりとした違いのある被験者数の男女比は、男性の身体が科学研究の標準とみなされてきた歴史を表している。2009年、スタンフォード大学の科学者ロンダ・シービンガー教授のもとではじまった「ジェンダー・イノベーション」プロジェクトは、科学研究

9　Paul J. Bonthuis, Kimberly H. Cox, & Emilie F. Rissman, "X-chromosome dosage affects male sexual behavior," *Hormones and Behavior* Vol.61 no.4 (2012).

10　オ・チョルス「同じ抗がん剤なのになぜ女性の副作用のほうが多いのか」『ハンギョレ』2019年6月8日［韓国］

におけるジェンダー問題を改善するためのものだ。男性の被験者だけを対象に行われた臨床実験を経た薬品よりも、女性と男性の被験者すべてを対象にした研究を経てつくられた薬品のほうが安全なのは明らかだ。欧州連合（EU）とアメリカ国立衛生研究所（NIH）は、研究プロジェクトの志願者には、実験の設計段階から生物学的変数として性の影響を含めるように勧めている。オスのマウスだけで実験をしているならば、メスのマウスを使わない正当な理由を明らかにしなければならない。一方の性別に偏って開発された医薬品の効果は、生殖器官や生殖機能に限らず、身体全体に現れるものだから。

「ジェンダー・イノベーション」プロジェクトは、性比の均衡をとりながらも、性別による違いを積極的に研究することを提案している。セックスとジェンダー、そのどちらも考慮することができれば、男性と女性の健康に及ぼす社会的影響をよりよく理解できるはずだ。

2章

女と男がモザイクになった脳

韓国で100万部以上を売り上げた自己啓発書『火星から来た男、金星から来た女』は、性別の違いにもとづいたコミュニケーション方法を提示する（著者は心理学者のジョン・グレイ、邦訳は『ベストパートナーになるために――男は火星から、女は金星からやってきた』大島渚＝訳、三笠書房、2013年）。男女を互いに別の惑星から来た存在に喩《たと》えるこの本のように、「女は繊細で相手の言葉に耳を傾け語学センスがある、男は攻撃的で自己主張を繰り広げ数学や科学に強い」といった類《たぐい》の二分法を主張する人たちが相変わらずたくさんいる。

性別によって能力が異なるという主張は、さまざまな科学的根拠《エビデンス》に支えられているが、両性の行動や知的能力の違いを説明するときに主に用いられるのが、脳の性差に関する研究だ。

脳の生物学的な差異は、能力の差異ではない

女性の脳と男性の脳は、大きさからして異なって見える。男性の脳が女性の脳よりも大きい確率は84％で、女性の脳が男性の脳より大きい確率は16％だという。ところが、この数値は男女の集団の平均的な差異を表しているに過ぎない。性別という情報だけではその人の脳の大きさはわからないし、反対に脳の大きさだけでその人の性別を判断することもできない。男性は女性よりも平均的に背が高いが、すべての男性がすべての女性より背が高いわけじゃないのと同じだ。実際に、男女の脳の大きさが似ている確率は48％にもなる。[1]

性差に関する議論で脳の大きさの違いが頻繁に言及される理由は、脳が大きければ大きいほど、知能などの特定の能力が優越しているだろうという古くからある思い込みのためだ。たいがいの男性の脳が女性の脳よりも大きいという事実と、たいがいの男性が女性よりも賢いという主張の結びつきは、実際には非常に弱い。2018年、エディンバラ大学心理学科のスチュアート・リッチー教授の研究チームは、イギリスのUKバイオバンクが保有する女性2750人、男性2466人の頭部MRI（磁気共鳴画像）データを使って男女の脳の違いを分析した。脳の生物学的特性を調べた結果、脳全体の大きさは男性のほう

が女性よりも平均的に大きく、大脳皮質の厚さは女性のほうが男性よりも平均的に厚かった。両性に平均的な知能の差異は見られない。それがこの研究の結論だ。[2]

脳の性差が知能の優劣に結びつかないのであれば、男女が互いに異なる特性を持つという主張は妥当だろうか？　それは女性の脳と男性の脳が「言語感覚」VS「数学能力」のように、互いに異なる性向に特化した結果なのではないだろうか？　２０２０年7月、アメリカの国立精神衛生研究所で脳の発達を専門とする遺伝学者アーミン・ラズナハンの研究チームは、男女の脳の差異を解剖学の観点から分析した研究結果を発表した。[3]その研究によれば、男性の脳は後頭葉・偏桃体・海馬が、女性の脳は前頭前皮質と島《とう》皮質が、もう一方の性別に比べて平均的に大きい。前者は視覚と記憶力に関連する部位で、後者は意思決定や味覚、自己調節などに関連する部位として知られている。しかし、特定の脳の部位が大きいという事実は、単純に、該当する部位に灰白質《かいはく》（脳の中枢神経系組織において、

1　Stuart J. Ritchie et al., "Sex Differences in the Adult Human Brain: Evidence from 5216 UK Biobank Participants," *Cerebral Cortex* Vol. 28 no.8 (2018), pp.2959-2975.
2　Ibid.
3　Siyuan Lui et al., "Integrative structural, functional, and transcriptomic analyses of sex-biased brain organization in humans," *Proceedings of the National Academy of Science* Vol. 117 no.31 (2020), pp.18788-18798.

神経細胞《ニューロン》の細胞体が密集している領域）が多いとか、脳の持ち主がその部位に関連する機能を相対的により多く学習したということを意味するだけである。その部位の機能が優れているという結論にはつながらない。

脳の性差に執着した科学

私たちの脳に、もしも平均的に生物学的な性差があるのならば、その事実をもってさまざまな主張が可能になるのではないだろうか？「男は視覚情報を記憶しやすく、女は自己見解を主張するよりも合意を引き出すことに長けている」といった主張に対しても、それを根本的に否定する決定的証拠がない。そんな反論が出てくる可能性がある。しかし、こうした問いに肯定的な返答をするためには、脳の性差を掘り下げる科学には大きな限界がある。

まず、脳は生まれたときの状態で固定されておらず、環境の影響を受けて変化し続ける。こうした脳の重要な特性を指す言葉が「神経可塑性（Neuroplasticity）」だ。複雑な都心の道路すべてに通じているロンドンのタクシードライバーの脳は、記憶力と関連した部位の海馬が（一般の人と比べて）より大きいという研究結果がある。であるならば、生物学的な差異は、外から見える能力の差異を説明する原因ではなく、逆に能力の差異が反映された結果だということになる。脳の性差に関する研究が強調する脳の生物学的な差異は、性別による生まれつきのものよりも、個人がその人生で担ってきた社会的役割の影響であると言えるのだ。脳の生物学的な特性を変化しないものとみなし、これが男女の特性を決定する原因だと強調するならば、そこから生まれる差別も自然なものであると誤認されかねない。

もう一つ考えるべき問題がある。科学界の研究・出版の特性上、「差異がない」という研究結果よりも、「差異がある」という研究結果のほうが公表される可能性が高いという点だ（いわゆる「出版バイアス」）。ある物質が、がんの治療に「効果がない」という研究結果よりも、「効果がある」という研究のほうに注目は集まりやすい。特に、脳の性差のように社会的な関心が高いテーマについては、男女の脳がどう違うのかを主張する研究のほうが新しく、興味深い研究と捉えられる傾向がある。もしかすると、男女の脳が似通っている、あるいは大きな違いはない、といったことを立証する多くの研究が、学術誌に掲載されないまま忘れ去られているかもしれない。

フェミニズムは、科学界の性差に関する研究には、肝心のジェンダーへの批判的な指摘が盛り込まれていないと主張する。男女の違いを明らかにする脳研究と神経科学は、「そもそもなぜ性差を研究すべきなのか」といった根本的な問いをほとんど投げかけない。科学研究は、男女の脳は生物学的に異なるという点を前提にし、それ自体を証明してくれる実験を設計することに集中する。こうして出版された研究の数々は、女性と男性の差異が先天的なものであるという主張を正当化するのに用いられる。脳の性差は、相も変わらず科学者たちが活発に研究するテーマのうちの一つだ。国際学術誌『神経科学研究』は2017年、セックスとジェンダーが神経系機能に及ぼす影響について、800ページにもなる特別号を発刊したほどである。

脳の性差の研究に、新たな問いを投げかける

人々は腎臓や肺よりも、脳の性差のほうにより関心がある。脳の性差に関する科学知識は、男女のあいだに根本的な差異があることを立証する決定的な知識とみなされ、社会的な性役割《ジェンダー・ロール》とジェンダー差別を正当化するのに使われる。実際にラズナハンの研究チームによる分析は、公表直後から彼らの意図とは無関係に、男子校と女子高を別々につくるべきだという主張の根拠として使われた。この事例は、科学的事実が既存のジェンダー・バイアスを強化するほうへ誤用されるという、不都合な現実の一つである。

一方、性差に関する研究の限界を知り、これを新たにデザインしようという科学者たちもいる。欧州や北米、オーストラリアの女性科学者やフェミニストたちが結成した「ニューロジェンダリング・ネットワーク（NeuroGenderings Network）」は、科学研究が社会的な価値観と無関係には遂行されえないという問題意識を共有している。今から約10年前、スウェーデンのウプサラ大学ジェンダー研究センターの支援で開かれた、さまざまな学問的背景と専門性を持つ研究者たちによる国際学会が設立のきっかけとなった。

ニューロジェンダリング・ネットワークが追及するフェミニズムの観点に立った神経科学研究（ニューロフェミニズム）は、脳の差異を無条件に否定しているわけではない。二元論的に単純化されたジェンダー認識にふさわしくない科学的知識の再生産をやめ、脳の性差に関する新たな研究を目標としている。そのためには、既存のものよりも一層厳格な科学的方法論を使用しなければならない。例えば、脳の性差を前提とし、それを立証する方法論だけは別のものを使うというのではなく、脳の基本的な特性にまずは着目し、ジェンダー・バイアスやジェンダー・アイデンティティが脳をどんなふうに変化させるのかを調べる神経可塑性研究を考案できるだろう。さらには人種、国家、職業などによる脳の違いはどうだろうか？　性別のみによって区分された二つの集団を設定するよりも、ホルモンの活動性、身体の大きさ、職業などの細かい項目をつくり、こうした要素が、どのように脳の性差につながるのかを具体的に調べてみるのだ。

ニューロジェンダリング・ネットワークの一員であり、イスラエルのテルアビブ大学の神経科学者ダフナ・ジョエルは、互いに異なる部分が多い男女の脳を指して「モザイク」という新たな概念を提案した[4]（「脳モザイク論」ともいう）。モザイクとは、いわゆる「女性的／男性的」として区分されるいくつかの特徴が一か所に混ざり合った状態の人間の脳を表現したものだ。ジョエルの研究チームは、性別で別れた集団ではなく、個人を基準にして探索する画期的な研究方法を考案し、性差研究の限界を突破した。

２０１５年、ジョエルが率いる研究陣は、成人１４００人の脳ＭＲＩを根拠に、人間の脳を１１６個の部位に分け、そのなかで男女のサイズの違いがもっとも大きかった上位10か所の部位を選び出し、それぞれ女性型、男性型に分類した。研究陣が新たに開発した分析方法だ。人間の脳に、「女性脳」と「男性脳」という区分がはじめから存在するならば、男女の脳に女性型部位と男性型部位の性別分布が二つのうちの一つとして一貫して観察されなければならない。しかし、そうした一貫性が見られる脳は、全体のうちの６％にすぎなかった。人間の脳を二つの性別で分けられると判断するには、あまりにも低い数値である。ジョエルは、脳を定量的に測定し、個別の脳の差異を究明する自身の研究が、性別集団の差異だけを表そうとする既存の研究と比べて、より科学的だと主張する。

科学的根拠《エビデンス》でジェンダー神話を打ち壊す

ジョエルの「脳モザイク論」は、脳に生物学的な性差があるという主張に真っ向から反論するものだ。少なくとも、脳の領域においては、火星から来た男と金星から来た女という二分法が足を踏み入れる余地はなさそうである。ところで、女が「女性脳」を持ち、男が「男性脳」を持つわけではないのに、二つの性別はなぜこんなに違うのだろうか？　ジョエルは、性別に関する社会文化的カテゴリである「ジェンダー」が二つに区分されているからだと答える。[5]

ジェンダーの力は強力だ。私たちの行動は、状況や地位といった要素以上に、ジェンダーという社会文化的要素によって説明される場合が多い。激しいスポーツの好きなショートカットの女の子を思い浮かべてみてほしい。この子が活動的なアクティビティが

4　Daphna Joel et al., "Sex beyond the genitalia: The human brain mosaic," *Proceeding of the National Academy of Sciences* Vol.112 no.50 (2015), pp.15468-15473.

5　ダフナ・ジョエル＋ルバ・ヴィハンスキ『ジェンダーモザイク』キム・ヘリム＝訳、ハンビッビズ、２０２１年［韓国］（邦訳は『ジェンダーと脳――性別を超える脳の多様性』鍛原多惠子＝訳、紀伊國屋書店、２０２１年）

好きなのは、スポーツ選手の家族からの影響かもしれないし、同世代の友人からの影響かもしれない。誰かがこの子に「女の子なんだから、お人形で遊んで、可愛い髪飾りをつけないと」と口を出すことは正当だろうか？「あなたは女の子なんだから」というジェンダー・アイデンティティを決めつける言葉は、子どもの判断や行為をいとも簡単に制限してしまう。おてんばで見た目に気を遣わない子を「トムボーイ（男勝《まさ》りな子）」という女性のカテゴリに入れた瞬間、そういう資質は男の子のほうがふさわしいのだというステレオタイプが強まる。

やりたいことをして生きていこうとする私たちを苦しめるのは、男女の脳に刻まれた先天的な差異ではない。さまざまなモザイク脳を二色のうちのどちらか一つの色で塗ろうとする、社会的なバイアスのほうだ。ジョエルは、ジェンダーという社会的なバイアスは「神話」だと語る。ここでいう神話とは、ある人が信じている対象が現実に存在するかどうかではなく、その人が自分の信じることをどのようにつくりだしていくかという点にかかっている。

ジェンダーという神話は、自分の持つ時間とお金をどこに投入するか、どんな職業を選択するか、何を人生の重要な価値とするかなど、人生のあらゆる瞬間に介入するという点で、私たちの暮らしに強力な影響力を及ぼす。しかしこの神話は、今まで科学的な方法論や言語で十分に究明されてこなかった。ジェンダーから自由になった世界をつくるためには、神話の領域にあるジェンダーが、より積極的に科学の領域で扱われなければならない。誰もがそれぞれのモザイク脳で生きていける世界は、心地よく楽しいはずだ。

3章

腸は考える

シーン1。うつ症状のための薬をもらいにメンタルクリニックを訪れた人の話だ。生理前にときどき気分が落ち込み、やる気がなくなる症状を話すと、医師は抗うつ薬と一緒に消化薬を処方してこう言った。「もしかして、胃もたれもありませんか？　うつ症状は腸の問題でもあるという最新の研究があるのです。もちろんまだはっきりしているわけではないのですが、私は関係があると思っているのです」医師の診断を聞いてその患者は思った。「いつも生理前になると消化不良を起こしていたのは自分だけじゃなかったんだ。考えたこともなかった」

シーン2。アイドルとして仕事をしていた時代を振り返りつつ、ある芸能人が話をしている。おへそが見えるステージ衣装をよく着ていた彼女は、痩せれば痩せるほど人気が出た。人々は痩せている姿を好むのだと思い込み、無理なダイエットをしていたある日、彼女は自分の体をケアしてあげなければと決心する。繰り返される過食症と拒食症から抜け出すために、食生活を元に戻し、摂食障害を治療するまでには長い時間がかかった。

「過食症」（神経性過食症）は、食欲のままに食べ物を急いで食べては吐き出すことを繰り返す症状だ。食べ物を口にすることを完全に拒否する「拒食症」（正式名は神経性やせ症）と共に代表的な摂食障害として知られている。過食症は、はじめはうつ病の一種と思われていた。１９７０年代に抗うつ薬が過食症の症状をやわらげるという事実が明らかになったからだ。しかし、過食症の患者には、周期的な気分の変化や食欲の減少、集中力の低下など、うつ病患者に典型的な症状は現れなかった。

過食症がうつ病とは無関係ならば、抗うつ薬はなぜ過食症の治療に効果があるのだろうか？　こうした疑問点を扱ったある研究は、抗うつ薬の成分が、脳が満腹感を抱く原理と関連があるため、過食症の治療にも役立つのだと説明している。この説明では、過食症をうつ病と同じように、脳の問題として捉えていることがわかる。でも、食べることの問題を、脳のせいだけにできるのだろうか？

憂うつなとき、消化不良を起こす理由

生物学は、過食症とうつ病が、脳だけでなく腸の問題でもあるという事実を教えてくれる。うつ病は一般的に、気分の調節機能を果たす神経伝達物質「セロトニン」が脳内で不足した状態で起こる。セロトニンは、何か特定の食べ物を食べればすぐに供給される物質ではないため、私たちの体が自分で生産しなければならない。このセロトニンが生産される過程において、欠かせない役割を果たしているのが、腸である。

まず腸は、セロトニンをつくるのに必要なタンパク質と炭水化物を消化する（炭水化物は糖質と食物繊維を合わせた総称だが、以下では体内でエネルギー源となる糖質の話をしている）。セロトニンの主材料となるのは必須アミノ酸の一種「トリプトファン」で、これはタンパク質を摂取することで私たちの体に供給される。チョコレート、バナナ、牛乳、肉、魚は、どれもトリプトファンが多く含まれる食品だ。他方、セロトニンの主材料を提供するタンパク質とは違って炭水化物のほうは、セロトニンの数値そのものに間接的な影響を与えるため、その影響力は少なくない。

炭水化物をたくさん食べると、炭水化物の吸収を調節する（つまり血糖値を下げる）ホルモン「インスリン」の分泌量が増える。これによって血中のブドウ糖や（トリプトファン以

外の）アミノ酸値が減り、脳はより多くのトリプトファンを受け入れ、セロトニンを大量生産できるようになる。甘いものをたべると気分が良くなる気がするのは、こうした理由からだ。

このとき、腸は単なる補助的な働きをするだけではない。脳でつくられるセロトニンは、実は全体の5％に過ぎない。残りの95％が、内分泌細胞の一種「腸クロム親和性細胞」でつくられる。腸がセロトニンの大部分を生産し、また使用するという事実は、腸と脳がより根本的なレベルでつながっていて、かつそのつながりがかなり対等であることを示唆している。

腸は、脳と脊髄が関与する中枢神経系とは別の神経系でその運動を調節する。食道から腸に続く9メートルの道には、少なくとも2億個から多くて5億個にもなる神経細胞が分布している。脊髄に広がっている神経細胞に匹敵する量だ。無数の神経細胞を有する腸は、私たちの意識とは無関係に必要な食事を消化し、危険なものは嘔吐《おうと》や下痢などによって排出する。米国コロンビア大学の神経生理学者マイケル・ガーションは、腸にある神経細胞の規模と腸の神経系の独自の能力を強調して、腸を「第2の脳」と呼んでいるほどだ（同氏の邦訳書として『セカンドブレイン――腸にも脳がある！』古川奈々子＝訳、小学館、2000年がある）。

腸で生成されたセロトニンは、腸の神経系の多用な機能調節に使われる。セロトニンは腸の神経細胞に存在する「セロトニン受容体」と結合して、腸の運動、便意や腹痛などの内臓感覚の調整、ホルモン分泌、細胞成長の調節などに関与する。食べ物を口にして満腹感を覚えたり、ときどき痛みや不快感を抱いたりするのは、腸のセロトニンが脳とつながった迷走神経に影響を与えるためだ。

腸と脳のつながりは最近、「腸－脳軸」（あるいは「腸脳相関」）と呼ばれる理論で研究されている。２０１１年、マウスの実験で腸と脳をつなぐ「腸内細菌」の役割が明らかになって以来、腸内細菌から腸－脳軸を理解しようとする研究が相次いだ。２０１４年、イギリスの科学週刊誌『ニューサイエンティスト』に、感情と関係のある生物という意味で、腸内細菌を「サイコ・バイオティクス」と命名した記事が掲載された。[1] この記事の著者は、腸内細菌がセロトニンのように気分に関与する神経伝達物質「ギャバ（ＧＡＢＡ）」を調節し、ストレスを取り除くと説明している。２０１５年には、国際学術誌『セル』上で、腸内細菌がつくりだした副産物がセロトニンの分泌量に影響を与えるという研究が発表され

1　John Cryan & Timothy Dinan, "Psychobiotics: The profound influence of the stomach over the mind," *New Scientist* Vol.221 no.2953 (2014), pp.28-29.

た。[2] 腸内細菌が感情と結びついた神経伝達物質の生産に影響を与えるという事実は、うつ病をはじめとし、今まで脳の問題と思われてきたさまざまな症状や疾患を理解し、治療するのに、腸の研究が必要であると教えてくれたのだ。

感じて記憶する腸

エモリー大学のフェミニスト心理学者エリザベス・ウィルソンは、腸と脳の結びつきと、腸の神経系が持つ独自性でもって、摂食障害を新たに理解しようと試みる。[3] 彼女の表現を借りれば、「腸は考え、記憶し、感じる」。腸は脳に従属する臓器ではなく、かなり発達した自律神経系を持った器官である、と彼女は強調したのだ。

ウィルソンは、1986年、国際的な医学系学術誌『ランセット』に掲載されたある研究[4]における過食症患者の例を取り上げる。過食症の集団とそうでない集団に分け、鼻や口を経て胃に管を挿入した研究だ。実験では、過食症でない人は10分以上えづき、涙を流すほどの苦痛を感じながらやっとのことで管を挿入した一方、過食症の人はほとんどがこれといった困難もなく管を挿入できた。過食症患者は嘔吐反射を起こさなかったのだ。

嘔吐反射とは、私たちの体が異物の侵入を防ごうと無意識に起こす反射作用のことで、普通は喉の奥を刺激することで起きる。ところが、この実験に参加した過食症患者たちは、喉元を刺激しても嘔吐反射を起こさなかった。驚くべきは、一部の患者たちが、飲料を飲んだり嘔吐したりする姿を想像するといった、まったく別の刺激でもって自らの嘔吐反射を誘導していた点だ。過食症を患《わずら》っているあいだに、えづきを繰り返すための嘔吐反射の条件を、別の形で学習してきた結果である。

一度、特定のやり方で学習した嘔吐反射は、単純な外部環境の変化や、個人の意思では容易には変わらない。過食と嘔吐が意識的にコントロールしにくいレベルになると、認知行動治療が効かなくなるが、ウィルソンはこうした状態を「腸が考えはじめる」と表現する。そうであるなら抗うつ薬は、憂うつで怒っている腸をなだめている――言い換えるなら、脳ではなく腸の神経系に直接作用して慢性的な過食症患者の症状を改善しているのだと推測できるだろう。

抗うつ薬が過食症を改善する生物学的な理由は、まだ正確にはわかっていない。しか

2　Jessica M. Yano et al., "Indigenous Bacteria from the Gut Microbiota Regulate Host Serotonin Biosynthesis," *Cell* Vol.161 no.2 (2015), pp.264-276.

3　Elizabeth A. Wilson, *Gut Feminism* (Duke University Press, 2015).

4　Paul Robinson & Letizia Grossi, "Gag Reflex in Bulimia Nervosa," *The Lancet* Vol.328 (1986), p.221.

し、物質と感情、食べて飲むことと憂うつだったり幸せだったりすることが、互いに区分されない程度につながっているという点は明らかなようだ。腸内細菌の役割まで明らかになれば、このつながりはさらに複雑になってくるだろう。ウィルソンは消化、呼吸、腸の運動、神経伝達など、あらゆる身体機能をあわせた新しいモデルの可能性を考慮できるとしている。腸と脳を序列関係で区分しないことを前提にしたモデルは、摂食障害と気分障害をまとめて一つの生物学として理解できるという提案なのだ。

過食症を治療する腸の性差研究

脳ではなく腸に介入して過食症を治療できるならば、うつ病はどうだろうか。最近、うつ病をはじめとする精神疾患全般が韓国社会で可視化されるようになり、なかでも20～30代の青年層、特に若い韓国人女性のうつ病が社会的に注目されている。2021年には、フェミニスト科学技術論を専攻した作家ハ・ミナが、うつ病を患う31人の20代女性にインタビューした『狂っていて奇妙で傲慢で賢い女たち』(未邦訳)が大きな関心を集めた。[5]うつ病にかかる割合は通常、女性のほうが男性よりも1・5倍から2倍ほど多い。ここ数年は、新型コロナウイルスの大流行により憂うつ感が高まり、若い女性の自殺率が急増したという報道もある。[6]一方で、20〜30代の女性は、デザート文化をもっとも積極的に楽しむ集団でもある。

スイーツを楽しみながら、ささやかで確かな幸せを求める若い女性たちの腸は、果たして幸せなのだろうか？　女性の腸は摂食障害以外にもさまざまな疾患に苦しんできたが、過敏性腸症候群のような機能性ディスペプシア〔非潰瘍性の消化不良〕を経験する女性は、男性よりも特に多いという。[7]

消化器疾患の性差に注目した研究は、「ジェンダー・イノベーション」プロジェクトの一環として始まったばかりだ。２０１８年に発表された啓明《ケミョン》大学のイ・ジュヨブとパク・キョンシクの研究[8]では、消化器疾患の有病率の性差を分析した。結果、女性の過敏性腸症

5　ハ・ミナ『狂っていて奇妙で傲慢で賢い女たち』トンアシア、２０２１年〔韓国〕

6　イム・ジェウ「救急実書　確認した【静かな虐殺】…20代女性の自殺未遂34％増加」『ハンギョレ』２０２１年５月３日〔韓国〕

7　国民健康保険公団が２０１２〜２０１７年の健康保険ビッグデータを分析した結果、消化不良で診療を受けたのは男性24万６０００人、女性37万人で女性が男性よりも１・５倍多かった。このうち20代女性と男性はそれぞれ１１６５人、５４４人で世代別女性・男性患者数の差がもっとも大きかった。イ・スンホ「昨年消化不良で診療・入院62万人…女性が１・５倍多い」『中央日報』２０１８年10月30日、ペク・スジン「胃潰瘍患者、昨年１００万人…20代女性、男性よりも１・６倍多い」『中央日報』２０１７年９月４日〔韓国〕

候群の患者のほうが、性的・身体的・情緒的虐待の経験がより頻繁に表れたことが確認された。女性の体に関する社会的規範とそれによって起こるストレスが、過敏性腸症候群の発症と関連しているというのである。

腸の病気の種類によっては、患者の自己表現が異なって現れるという研究もある。炎症性腸疾患がある女性は、診療のときに怒りを表わすことが多いが、過敏性腸症候群の女性患者は、沈黙を選ぶ傾向があるという。ソウル大学ブンダン病院消化器内科のキム・ナヨン教授は、消化器疾患の診察と治療に性差を積極的に考慮しようと提案している。[9]

20~30代女性のうつ病と摂食障害、食文化の関係を本格的に研究した科学はまだない。しかし、これまでに研究されてきた内容を見る限り、女性の腸はこの複雑な関係を探究するのにもっともふさわしい身体器官に思われる。性差を論じるたびに言及される生殖器や脳の代わりに、腸を調べてみるべきだろう。

腸の性差は、男女に差別的に与えられている役割や規範を正当化する生物学的な原因とは思われていない。だからこそ逆に、そうした役割や規範が人体に及ぼす影響をよりはっきりと見せてくれるはずだ。今後、消化器疾患やうつ病のように、女性が日常的に経験する苦痛をやわらげる効果的な診断方法や、治療法の発見に、腸の性差が実質的に役立つだろうことは明らかである。

過食症の女性患者の問題は、腸の生物学的な特徴や若い女性が感じる社会文化的な抑圧のうちのどちらか一方を見るだけでは解決しない。若い女性たちの文化《カルチャー》は、甘いデザートを楽しむ憂うつな腸と結びついている。現在、女性の腸はより憂うつに、より敏感になっていて、そのことに対する処方箋としてスイーツが必要だと判断しているのだ。腸が知っていることを、科学者たちも知るべき時がきた。腸と脳の結びつきについての最新研究は、物質と感情を統合して理解するための科学だ。女性の経験をもっと科学のなかで共有しよう。そうすれば、憂うつな女性や食べて吐く女性のためにできることは、さらに増えるはずだ。

8　イ・ジュヨブ+パク・キョンシク「機能性消化器疾患のジェンダー差異」『大韓消化器学会』第72巻4号、2018年、163〜169頁［韓国］

9　キム・ナヨン『消化器疾患での性差医学』大韓医学書籍、2021年［韓国］

4章

神秘的じゃない妊娠のために

つわりは、新しい生命を知らせる喜ばしいサインであり、妊娠期間中に女性が体験する身体変化の明確なスタートでもある。妊婦の半数から、多くて80％が経験するといわれるつわりは、たいがいが吐き気や嘔吐として現れる。普通は妊娠4〜5カ月になる前に消えるが、ひどい場合は妊娠期間中ずっと続いたり、入院しなければならない場合もあったりするなど、個人差が大きい。

妊婦を苦しめるつわりは、お腹のなかの赤ちゃんを守るための反応だと思われてきた。妊娠した女性が、つわりのせいで食べられるものが限定されることで、胎児に悪影響のある物質が体内に入ってくるのを事前に防げる。そういう論理だ。そしてこうした論理に従って、つわりがひどいほど健康な赤ちゃんが生まれるという俗説が伝えられるようになったり、母親は赤ちゃんのためにつわりに耐えるべきだというプレッシャーが妊婦にかけられたりするのである。

つわりのメカニズム

妊娠にまつわる多くの症状がそうであるように、つわりの原因もまだ正確には明らかになっていない。いくつかの研究結果は、つわりは流産や早産、低出生体重児のリスクを下げ、妊娠の結果におおかたポジティブな影響を与えると伝えている。

つわりに関する一般的な認識には、胎児を中心にして妊娠を理解しようという観点が反映されている。しかし、実はつわりは、妊娠期間中に女性の体内で育つもう一つの別の存在、すなわち胎盤とより緊密につながっている。アンチエイジングの領域でよく知られる「プラセンタ注射」にも使われる、あの胎盤だ（プラセンタ注射には、ヒトの胎盤から抽出されたエキスが使用される）。胎盤は通常、約350〜750グラムで、胎児の体重のおよそ6分の1にあたり、つわりがもっともひどくなる妊娠3〜4カ月にもっとも活発に成長する。

これまでの医学研究は、妊娠初期のつわりによって、妊婦が食べ物をあまり食べられなくなる現象と胎盤の発達との関係を、体内のホルモン数値の変化で説明してきた。[1] 炭水化物（糖質）の吸収を調節するホルモン「インスリン」は、食べ物の摂取によって高くなり、血糖値（ブドウ糖濃度）を下げて人体の恒常性を維持する。ところが、妊婦の体内のインスリンは、胎盤から分泌される「hCG（ヒト絨毛《じゅうもう》性ゴナドトロピン）」の分泌を抑制する役割も果たす。妊娠過程における必須物質であるhCGが作用することで、母体の嘔吐中枢が刺激されて、妊婦は食べ物をあまり食べられなくなる（それゆえこのホルモンは、つわりとの関係が示唆されるものである）。（つまり、hCGの作用により食べられなくなることで、つわりを抑制する）インスリンの量が増えていく状況をあらかじめ遮断するのだ。

食べ物を食べると、インスリンと構造の似たホルモン「IGF‐1（インスリン様成長因子」も分泌される。IGF‐1は、妊婦の持つ栄養分が妊婦の体内組織を合成するほうへ使われるよう機能するため、この物質が増えるとそれだけ胎盤の発達に作用するエネルギーが奪われる。よってつわりは、妊婦があまり食べ物を食べられないようにさせることで二つのホルモン（インスリンとIGF‐I）の分泌量を減らすという方法で、胎盤の発達に間接的に寄与しているのである。

1　Rachel R. Huxley, "Nausea and vomiting in early pregnancy: its role in placental development," *Obstetrics & Gynecology* Vol.95 no.5 (2000), pp.779-782.

胎盤というユニークな存在

このように、妊娠と科学の中心には胎盤がある。胎盤は胎児と一緒にできて、胎児と共に育ち、出産と一緒に排出される臓器だ。臓器（器官）とは、特定の機能を遂行するために数種類の組織（細胞）が集まったものを指す。この定義によれば、哺乳類の胎児の発達に使われる臓器すなわち胎盤は、心臓や肝臓、肺といった母体のなかにある別の器官と変わりない。ところが胎盤は、母体の一部に胎児の一部が適合してつくられるという点で、明らかに特異な存在なのだ。

妊婦の体で胎盤が形成される過程を順に見ていこう。人間の卵子と精子が出合って形成された受精卵は細胞分裂を繰り返し、50～100個あまりの細胞に分かれる。この段階（着床可能な状態）に至る受精卵を「胚盤胞《はいばんほう》」という。子宮に移動した胚盤胞が子宮内膜にくっつくと、やっと着床が起きる。着床した胚盤胞は、大きく二つの部位に分かれて互いに異なる役割を果たす。内部の細胞群は胎児として成長し、その周囲の細胞群である栄養膜は、子宮内膜と融合して胎盤を形成する。

これまで科学者たちは、胎盤を母体と胎児のあいだに設置された障壁とみなしてきた。子宮を通じて母体に影響を及ぼしかねない危険な物質を遮断すること、それが胎盤の役割だというのだ。しかし、こうした認識は「サリドマイド事件」をきっかけに崩壊した。[2]

サリドマイドは、1957年、西ドイツで開発されたある薬剤に含まれていた成分の名前だ。鎮静・催眠薬として開発された製品だが、つわりをやわらげるのにも効果があり、主に妊婦に処方された。しかし、1~2年が過ぎると、この薬を服用した数千人にのぼる妊婦が、手足が短かったり、はじめから手足のない赤ちゃんを産むという惨事が起きた。実は、ヒトの胎盤は、ほかのどんな哺乳類の胎盤よりも母体の子宮に深く密着しており、膜も薄い。そのため動物実験では、この薬の〔ヒトに対する〕致命的な副作用を感知することができなかったのだ。

今日《こんにち》の科学は胎盤を、母体と胎児のあいだで必要な物質を交換するための通路とみなしている。胎盤を一種の道に喩えた研究は、母体と胎児の関係性に焦点を絞り、両者のあいだでどんな物質が行き交い、それによってどんな影響を与え合っているのかを探索する。[3]

2　Eva-Maria Simms, "Eating One's Mother: Female Embodiment in a Toxic World," *Environmental Ethics* Vol.31 no.3 (2009), pp.263-277

3　Moira Howes, "Conceptualizing the maternal-fetal relationship in reproductive immunology," K. Kroker, P.M.H. Mazumdar, & J. E. Keelan (eds.), *Crafting Immunity: Working Histories of Clinical Immunology* (Ashgate, 2008).

これまでに観察された内容は次の通りだ。胎盤は、母体の酸素、ブドウ糖、アミノ酸、タンパク質、ホルモン、抗体といった胎児に役立つ物質以外にも、ウイルス、薬物成分、アルコールのような危険な異物も一緒に伝えている。そして胎児は、母体に二酸化炭素と老廃物などを伝達する。

また胎盤は、母体と胎児にとって必要な物質を直接つくりもする。胎盤の代謝作用によって作られる物質は、胎児のエネルギー源と細胞分裂に必要な栄養分を提供する。hCG、プロゲステロンなど、胎盤でつくられるホルモンは妊娠を維持し、胎児にふさわしい子宮環境を整えてくれる。私たちがまったく認識できていなかっただけで、妊娠過程における胎盤の役割は、妊婦と胎児のどちらにとっても重要なのだ。[4] つわりを含んだ女性の妊娠経験を科学でもって理解するには、胎児と母体をつなぐ胎盤についての理解が欠かせない。胎盤が胎児を守るという考え方は、より徹底した科学によって究明されるべきである。

母体と胎児の緊張関係

胎盤の多才多能ぶりを、もう一つだけ紹介しよう。胎盤は、人体において、別の有機体のDNAが混ざっている唯一の臓器である。胎盤の半分は、配偶者由来の遺伝子が混ざって生産された細胞でできているからだ。

免疫学の専門家たちは、胎児を体内に移植された臓器と同じとみなし、母体とは異なるDNAを持つ胚芽《はいが》がどうやって子宮に落ち着き、免疫拒絶反応を起こさず成長するのかを説明しようとしてきた。伝統的な免疫学は、母体と胎児それぞれが固有の存在であると し、母体が胎児を一時的に寛容するのだと説明する。しかし、依然として疑問は残る。胎児になる前の段階、つまり受精卵の段階では、なぜ母体の免疫系が作動しないのだろうか?

胚盤胞の薄膜、すなわち栄養膜は、母親と父親それぞれの遺伝的血統がまざったものである。であるならば、母体は自身とは別の由来を持つほうに拒絶反応を起こすはずだ。しかしこのとき、母体の免疫系をだます「標識」がある。栄養膜の表面に位置するHLA(ヒト白血球抗原)だ。HLAは、自身と自身ではない存在を区分させる代表的な抗原であり、人間のあらゆる細胞と組織に存在する。しかし、別の組織のHLAとは異なる栄養膜で発現するHLAは、その形態が多様ではない。組織の起源が母体にあろうと父体にあろうと、形態はほとんど同じなのだ。

4　Maria Fannin, "Placental relations," *Feminist Theory* Vol.15 no.3 (2014), pp.289-306.

こうして、母体の免疫系は栄養膜を自身の一部として認識する。これはつまり、母体の免疫系が錯覚しているだけで、厳密には母体と胎児は相変わらず異なる存在である、ということだ。よって、胎盤が形成されるまで、母体と胎児はずっと免疫学的には緊張関係に置かれる。妊婦が経験する合併症のなかには免疫に関する疾患が多い。母体と胎児のあいだで細胞が交換されるにつれ、1型糖尿病や、新生児ループスのような自己免疫症候群になるケースも同様である。[5] 反対に、すでに関節リウマチや自己免疫疾患があった女性の4人に3人は、妊娠期間中、一時的に症状が好転する場合もある。[6]

他人のDNAが含まれた胎盤が、どうやって母体の免疫系を通過して、その一部になるのかまでは、まだ完全に明らかになっていない。もし、この秘密が明らかになれば、自己免疫疾患のほかに臓器移植で起きる拒絶反応など、長らく免疫系の問題とされてきたものの解決法を見つけられるかもしれない。胎盤は、人間の免疫系を深く理解するための鍵なのだ。

胎盤研究の鍵は、妊娠した女性たち

胎児を中心に妊娠を理解するという観点では、胎盤の重要性が見過ごされがちだ。出産時に排出される胎盤は、一般的には医療廃棄物に分類され、即捨てられるか、ときにはプラセンタ注射の原料として再活用されるだけだ――これは胎盤で胎児を育てた際の栄養分が残っていること、また、成長因子が含まれているからである。

このように、現実では胎児の栄養供給源、または妊娠の過程で生まれる副産物程度として扱われてきた胎盤が、妊娠と胎児に関する研究に与える影響は少なくなかった。１９６０年代につわりを緩和する薬剤が起こした惨事（サリドマイド事件）を記憶しておこう。１９７０年代の研究では、過去に流産防止を目的として広く使われた人工エストロゲンが、がんや生殖器の奇形を誘発したという事実をのちに明らかにしている。

「胎盤は妊娠期間中の女性と胎児の健康はもちろん、女性と胎児の生涯の健康のためにより重要な器官」であり「もっとも理解されていない人間の臓器」である。[7] これは２０１４年、アメリカ国立衛生研究所（ＮＩＨ）傘下の国立子ども人間発達研究所で始まった「ヒ

5 Adams Waldorf, Kristina M., & J. Lee Nelson, "Autoimmune Disease During Pregnancy and the Microchimerism Legacy of Pregnancy," *Immunological Investigations* Vol.37 no.5 (2008), pp.631-644.

6 J. Lee Nelson & Monika Østensen, "Pregnancy and Rheumatoid Arthritis," *Rheumatic Disease Clinics of North America* Vol.23 no.1 (1997), pp.195-212.

7 Alan E. Guttmacher, Yvonne T. Maddox, & Catherine Y. Spong, "The Human Placenta Project: Placental Structure, Development, and Function in Real Time," *Placenta* Vol.35 no.5 (2014), p.303.

ト胎盤プロジェクト」の報告書の序文である。同研究所のアラン・ガットマッハー所長は、ヒト胎盤プロジェクトが始まった年の6月、『サイエンス』誌に胎盤研究のスタートを大々的に紹介している。妊娠初期は特に胎盤の影響力が大きく、妊娠高血圧症候群や胎児発育不全、ひいては生まれた子が成長するにつれ経験するさまざまな疾患とも密接なつながりがあるという。しかし、その相関関係を具体的に証明した研究はごくわずかである。

胎盤の重要性を十分に理解していたはずの科学界で、それ以上の研究を進められなかった理由は何なのだろうか？　今までの胎盤研究は、さまざまな利害関係者たちによって散発的に進められてきただけで、胎盤そのものを一つの臓器として十分に理論化してこなかった。[8] 胎盤研究は、胚芽研究や胎児研究とは異なる。後者は主に流産したり中絶したりした胎児標本を対象にしているため、胎盤の形態や発達を研究するには適さない。また、ヒトの胎盤は、ほかの哺乳類の胎盤とは違って、使える動物モデルを見つけにくい。ヒト胎盤プロジェクトの一員であるトロント大学のシステム生物学者ブライアン・コックスは、今まで胎盤の状態が、主に胎児の出産に焦点を合わせて評価されてきた点を指摘し、胎盤そのものの形態学的な特徴や、胎盤の発達前過程について理論的に理解する展望も提示した。[9]

ヒト胎盤プロジェクトでは、胎盤研究の限界を克服する方法として、妊娠期間中の胎盤を常に観察する技術の開発を提案している。これは現実的には、妊娠した女性の同意や協力がなければ不可能なミッションだ。妊娠中の女性が単純に研究の対象になるというよりも、研究メンバーとして科学者と共に胎盤研究を率いる必要性と可能性が、そこにはある。

刊行を前にした本書の概要を発表する場で、つわりの生物学的なメカニズムを説明した際に、ある聴衆から質問があった。「夫にもつわりがあるそうですが、この場合のつわりの原因は愛情でしょうか？」もちろん答えは、「それはつわりではありません」だ。

つわりは妊娠した女性の胎盤で始まる物質的な現象であり、人類の半分だけが妊娠できる体を持っている。今まで数多くの女性の妊娠を通じて人類が続いてきたにもかかわらず、妊娠は依然として神秘的な領域に任されている。妊娠にもとづく身体の変化は、母性で我慢するよりも、科学で理解すべき領域だ。何より女性の健康と生の質《クオリティ・オブ・ライフ》（ＱＯＬ）のために、妊娠はこれ以上神秘的であってはならない。

8　Sara DiCaglio, "Placental beginnings: Reconfiguring placental development and pregnancy loss in feminist theory," *Feminist Theory* Vol.20 no.3 (2019), pp.283-298.

9　Jocelyn Kaiser, "Gearing up for a closer look at the human placenta," *Science* Vol.344 no.6188 (2014), p.1073.

5章

父親の役割に注目せよ

女性は妊娠期間中、食べられなくても問題であり、食べ過ぎても問題になる。妊婦の定期健診での体重は、健康な妊娠状態であるかどうかをチェックする大切な指標になる。公共医療機関が専門学会と共に作成した妊婦の肥満管理のためのパンフレットは、妊娠前の体重を基準にして妊娠後の体重がどれくらい増加するのが望ましいかを具体的な数字で示している。[1]

妊婦が体重管理をしなければならない理由は、妊婦と胎児双方の健康のためだ。妊婦の体重が妊娠前よりも増えすぎると、妊娠糖尿病や妊娠高血圧症候群にかかりやすくなり、胎児が子宮内で死亡したり先天性奇形を患ったりするリスクも高まる。よって

1　国民健康保険公団＋大韓産婦人科医学会「妊婦肥満管理ガイド」国民健康保険公団、２０１６年［韓国］

妊娠した女性には、妊娠直後から規則的な運動や適切な食事療法で体重をコントロールする責任が生じる。母親が肥満であるかどうかが生まれる子どもの健康を左右するという科学の前で、母親になる女性の責任はどこまでも重くなる。

ところが、妊婦の体重管理が胎児に及ぼす影響は、子どもが健康に生まれた時点では終わらない。医療機関は、妊婦の肥満が子どもの成長過程にも影響を与えると説明する。母親が肥満だと、生まれる子どもが成人になったときに肥満症や心血管疾患、糖尿病といった成人病にかかる確率が高まるというのだ（日本では1996年、厚生省（当時）が「生活習慣病」と改称しているが、本稿では原著者が後述のバーカー氏の議論にもとづき論を展開しているため、原書にあわせて「成人病」と訳出している）。

普通、一人の人間の健康指標を調べるときは、両親から受け継いだ遺伝子と今現在の生活習慣の二つの側面を見る。それなのに、成人が肥満になるかどうかは、過去の母親の体重管理にかかっていると考えるのはどうも不思議だ。妊娠期間中の母親の体重がどう変化したかは、その子が受け継いだ母親の遺伝子とは明らかに異なる要素だからだ。つまり、遺伝子と生活習慣以外にも、肥満に影響を与える第三の要因が存在するということになる。

健康の起源は子宮ではない

「遺伝か、環境か」。これは肥満に限らず、疾病や習性の科学的要因を説明するときに常に言及される二つの要素だ。医学的に、肥満は体脂肪が必要以上に溜まっている状態を言う。肥満を研究している学者たちは、遺伝的・社会的・環境的要因など、肥満の要因を多方面から探索してきた。肥満を、乱れた生活習慣をはじめとする環境的要因による成人病とみなす学者もいれば、肥満に関連した遺伝子とその作動メカニズムについて分析する学者もいる。

これまでの研究結果を見ると、肥満の遺伝学はそれほど簡単ではない。例えば、「肥満遺伝子」という刺激的な名前で知られる遺伝子は多い。しかし、1章の性染色体の場合もそうだったように、ある人が肥満になるかどうかを決めるたった一つの遺伝子は存在しない。仮に同じ肥満遺伝子を持っていたとしても、それぞれの生活でこの遺伝子がすべて同じように発現するという保証はない。「肥満が遺伝する」という言葉は、親から肥満という疾病自体を受け継いだということを意味しない。肥満を誘発する特定の環境条件にどれほど弱いか――その点が親と似ているのだと理解するほうがいいだろう。

一般的な肥満研究は肥満を、親からの遺伝子やその人の体が置かれた現在の環境、その環境に対処する生活習慣のあいだで起きるさまざまな相互作用の結果と見る。こうした観点に立つと、成人期の肥満に影響を与える過去の要因は、両親から受け継いだ遺伝子だけだ。しかし、妊婦の体重が、将来胎児が肥満になるかどうかと関連しているというパンフレットの警告を思い出してほしい。この警告は、過去の母親の子宮環境が、今の「私」の肥満にも影響を与えるということを意味している。

肥満症のような慢性疾患が子宮から始まるという主張は、1980年代末、イギリスの疫学者であり医師のデイヴィッド・バーカーがはじめて提起したものだ。[2] その主張の核心は、子宮内部のネガティブな環境が、胎児の健康に連続的に影響を与えるというものだ。バーカーによれば、妊婦の栄養状態が悪いと、低出生体重児を出産したり、胎児の成長が遅れたりすることがある。また、胎児が成長するにつれて、いくつかの慢性疾患にかかりやすくなるともいう。「バーカー仮説」、あるいは「成人病胎児期起源仮説」と呼ばれるこうした主張は、2000年代以降になって、胎児期と生後初期の環境が成人期の健康状態を決定するという理論でもって一般化された。

バーカーが注目した子宮での胎児の発達状態と、一生のあいだに経験する健康問題との関係は、今日《こんにち》、「発達可塑性」と「胎児プログラミング」という概念に発展した。発達可塑性は、発達中の有機体が周囲の環境に肉体的に反応する能力を指す。胎児プログラミングは、胎児の初期段階で形作られた体が成人になっても維持されるという理論的概念だ。

こうした長期的な効果を見ようとする胎児プログラミング研究は、子どもが生まれてから成人期に至るまで、少なくとも20年あまりの追跡期間が必要となる。妊娠中に糖尿病を患った母親と、その母親から生まれた子どもが糖尿病であるかどうかを長期追跡した研究によれば、2型糖尿病のある妊婦の子ども44人のうち、45％が成人期に糖尿病を患った。他方で、出産後に糖尿病になった女性の子どもは、409人のうち9％しか糖尿病でなかったという。こうした違いを、遺伝子の違いだけで完全に説明することはできない。

社会とつながった妊婦の体

バーカー仮説は、成人病の理解に画期的な変化をもたらした。既存の研究における成人病は、単に遺伝子や環境間の相互作用と思われてきた。すでに譲り受けた遺伝子を変えることはできないため、医師たちは肥満症の患者に周辺環境や生活習慣を改善するようにと

2　Megan Warin, "Material Feminism, Obesity Science and the Limits of Discursive Critique," *Body & Society* Vol.21 no.4 (2015).

言うほかなかった。しかし、バーカーの理論は、成人病の予防をリードする研究者たちにとって、もう一つの時空間を開いた。ヒトの胎児期、そして胎児期の空間、つまり母親の子宮である。

母親の子宮に、はるか遠い未来に子どもがかかる疾病の起源を探そうとするバーカーの主張は、一見すると、女性個々人に妊娠した瞬間から別の一人の人間の一生涯の健康への責任を負わせている、ように見える。しかし、バーカーはむしろ、胎児の健康についての究極的な責任は、母親ではなく社会にあると見た。妊婦の健康状態が良くない原因を、女性の社会経済的地位、すなわち社会的不平等の問題と判断したのだ。

バーカーの主張には、後成遺伝学《エピジェネティクス》という最新科学で遺伝子を理解しようとする発想が見て取れる。普通、遺伝的に違いが現れるといったとき、それはそれぞれの親から受け継いだ遺伝子が異なるということを意味する。しかし、遺伝子が同じでも、遺伝物質の効果にはいくらでも違いがある。例えば、一人の人間の体を構成する数十億個以上の細胞は、ゲノムはみな同じだが、遺伝子の発現の仕方には違いがある（DNAの遺伝情報をもとにタンパク質が合成されることを「遺伝子発現」という）。これらの細胞は、人体の各部位で皮膚細胞、肝細胞、味《み》細胞などに分かれて、それぞれ別の機能を果たす。

エピジェネティクスは、DNAの塩基配列（AGCTの4種の塩基で構成される遺伝情報）は同じでも、遺伝子発現が異なる現象を究明する遺伝学の一分野である。遺伝子発現に関する代表的な物質は、「ヒストン」というタンパク質と「メチル基」という化学物質だ。塩基の鎖2列が対をなして連結した長いDNAが、末端部がしっぽのように見えるヒストンに巻き付くと、DNAは細胞核内に合わせてコンパクトに納まる。メチル基は、メタン分子から水素原子一つが取り除かれた原子の塊の一種で、生体物質にくっついてその性質を変化させる。この原子の塊がヒストンのしっぽ部分（ヒストンテール）やDNAの特定塩基について物質をメチル化すると（いわゆる「ヒストン修飾」）、遺伝子発現が変わる。

エピジェネティクスが探究する生物学的な過程は、このように体内の遺伝物質を変化させる体外の環境と絡み合っている。研究範囲が生物学の境界内にとどまらないエピジェネティクスの観点から、一人の人間の健康が胎児期に決定されるという話は、母親の身体状態が胎児の発達を決定するということを意味しない。これはむしろ、胎児の発達に関連するものを、胎児が属する母体、母親が生きる時代や空間、さらには女性たちが直面する社会文化的・歴史的・環境的・政治的条件にまで押し広げることになる。

1994年にメキシコで進められた健康調査は、こうして拡張された遺伝学が持つ意味をさらに明らかにした。メキシコシティのある地域で暮らす妊婦と子どもの体から、別の地域よりも3～5倍高いレベルの水銀が検出されるということがあった。エピジェネティクスの専門家と人類学者がその原因を明らかにするために現地に出向いた。人類学者はその地域の労働者階級の人々と生活を共にしながら、主婦たちが食事の用意をするときに特異な陶磁器を使う点に注目した。田舎から都市に引っ越した労働者階級の家族たちは、代々伝わる暮らし方を守ろうとしていた。そのなかで家事を担う女たちは、主に祖母がつくったという水銀の含まれた釉薬《ゆうやく》陶磁器を食器として使っていたのだ。妊婦の健康が、世代をまたいだ女性たちの関係と歴史、文化と直結していることがわかる例である。

　こうしてみると、胎児が育つ母親の子宮は、妊婦の体内で孤立してはいない。子宮は、妊婦の体内にある生物学的空間であり、体外から入ってくる食べ物や栄養分を胎児に伝える器官でもある。子宮のなかにいる胎児は、母親をとりまく環境の影響を受ける。貧困層労働者家庭の一員であり栄養摂取が足りない状況を、長い歴史と文化的影響から水銀の塗られた食器で毎日食事をする環境を、女性一人の責任にはできない。妊婦の体の管理をその人が生きている社会的環境の問題と並列に見るバーカーの観点は、女性の社会経済的地位の向上を求めるフェミニズムとあいまって、社会の構成員すべての健康のために欠かせないものだ。

父親は何をするのか

２０１４年3月と8月の『ネイチャー』誌に、インパクトのあるタイトルの寄稿文が二編掲載された。[3]「パパの罪」という寄稿文は、環境的要因のせいで変化した動物の精子のＤＮＡは子孫に受け継がれるという事実を明らかにし、「ママのせいにしないで」というもう一つの寄稿文は、健康と疾病に関する「胎児期起源仮説」についての研究が、母親への非難へと向かっている現実を告発している。この二つの寄稿文は、世間に知られているものとは異なり、父親が経験した環境や生活習慣もまた、生まれてくる子どもの健康や疾病に影響を与えるという点を指摘している。

自分が妊娠するわけではない男性の場合、遺伝的な影響だけを分離しやすいため、エピジェネティックな標識《マーカー》の変化をより正確に観察できる。興味深いのは、ＤＮＡメチル化に代表されるエピジェネティックな標識が、世代を超えて伝わるという事実だ。これまで明らかにされた内容によれば、男性が経験する環境や生活習慣は、精子のなかのＤＮＡのメ

3　Sarah S. Richardson et al., "Society: Don't blame the mothers," *Nature* Vol.512 no.7513 (2014); Virginia Hughes, "Epigenetics: The sins of the father," *Nature* Vol.507 no.7490 (2014).

チル化様相を変化させ、この変化が、受精した胚はもちろん、その胚を生み出す生殖細胞にまで伝わる。一般的に、精子と卵子など生殖細胞の遺伝物質がメチル化した痕跡は、受精卵が生成されるときに相当部分が除去される。しかし、メチル化が強く起きる一部の遺伝子の痕跡は、次世代まで続く。

エピジェネティクスのメカニズムはまだはっきりと究明されていないが、父親の食習慣や人生経験が、生まれる子どもが肥満になるかどうかに影響を与えるという点は否定しにくい。2005年に行われた、子どものいる男性166人を対象にした研究は、11歳以前から喫煙していた男性の子どもが過体重である可能性が著しいことを報告している。[4] また、2010年に発表された動物実験では、高脂肪の飼料を食べたオスのラットの赤ちゃんが、すい臓細胞の異常なDNAメチル化により体重が増加したことがわかった。[5]

2015年、国際学術誌『セル・メタボリズム』に掲載された研究は、とりわけ注目に値する。[6] コペンハーゲン大学のロマン・バレス博士の研究チームは、肥満症の治療のために胃の手術を受けた男性6人を対象に、手術前と手術後1年間の精子の変化を調べた。被験者たちが胃の手術によって減量したとき、精子の遺伝子がどう変化したのかを分析したのだ。その結果、体重が減った男性の精子の遺伝子から、食欲に関連する部位を中心にメチル化が多数起きていることがわかった。変化のスピードもまた、予想より早かった。被験者が手術してから1週間で遺伝子1509個からメチル化様相が変わり、1年後にはその2倍を軽く超える遺伝子3910個でメチル化様相の変化が発見された。

肥満研究は現在進行形である。新生の学問であるエピジェネティクスはまだ明らかにされていなかったり、論争中だったりする部分がたくさんある。にもかかわらず、この分野の最新研究は、遺伝子と環境が思った以上に複雑で密接に相互作用しあい、個人の健康を決定するという事実を示唆している。何よりも、今まで遺伝子を伝達するだけの役割を担ってきた男性に、生まれてくる赤ちゃんの健康のための新しいミッションが課せられたのは意義深い。私たちの体は、母親の子宮の外にいる父親の生き方とも結びついている。

4　Marcus E. Pembrey et al., "Sex-specific, male-line transgenerational responses in humans," *European Journal of Human Genetics* Vol.14 no.2 (2006).

5　Sheau-Fang, Ng. et al., "Chronic high-fat diet in fathers programs β-cell dysfunction in female rat offspring," *Nature* Vol.467 no.7318 (2010).

6　Ida Donkin et al., "Obesity and Bariatric Surgery Drive Epigenetic Variation of Spermatozoa in Humans," *Cell Metabolism* Vol.23 no.2 (2016).

6章

卵子凍結をめぐる問題

2014年、グローバルIT企業のフェイスブック（現：Meta）とグーグルは、女性社員を対象に卵子凍結の費用を支援するという福利厚生制度を導入した。男性比率の高いIT業界で女性が子どもを産み育てるうえで、女性たちがキャリア上の不利益をこうむることがないようにするためだ。

母親になるか、仕事に専念するか。多くの20〜30代の女性は、どちらか一つを選択しなければならないプレッシャーを感じる。卵子凍結技術は働く女性にとって、子どもをあきらめなくても自分のキャリアを追求する道を開いてくれるという期待につながる。一方で、批判の声もある。すなわち、国家や企業のサポートは、男性中心の企業文化や女性の「母性」を当たり前とみなす社会規範を放置したままの、一時的な方便にすぎないという指摘である。

妊娠の時期をコントロールする技術

卵子凍結は、最近登場した生殖補助医療技術（ART）の一つである。生殖補助医療技術とは、人間の生殖過程に介入し、妊娠および出産を補助する技術や方法の通称だ。狭義には、医療機関で不妊の男女に妊娠を可能にする際に動員される技術を指し、広義には、妊娠・出産をさらに安全かつ改善された方法で導くために考案されたすべての技術を指す。

生殖補助医療技術が適用される女性の体内で起こる一連の生殖過程は、排卵、受精、妊娠、分娩など、いくつかの段階に分かれる。代表的な不妊治療技術である顕微授精法（ICSI）は、排卵と受精の段階に介入する。排卵誘発剤を打った女性は、卵子を一度にいくつも排出するが、施術者は熟練した手作業でそれぞれの卵子と健康な精子を受精させて、再び女性の体内に戻す。排卵のタイミングに合わせて介入し、未来に起こる排卵と受精を一度に進める方法だ。

これとは異なり卵子凍結は、排卵、受精、妊娠、分娩といった互いに異なる生殖段階のあいだに時間的な断絶をつくる。卵子を凍結しておいて未来のある時点で解凍する技術は、現在よりもより適切な時期に受精や妊娠をできるように時間を遅らせてくれる。

卵子を凍らせる行為は、妊娠できる能力、すなわち「可妊力」（妊孕性《にんよう》／妊孕能ともいう）

を凍結することでもある。そもそも、卵子凍結は初期閉経が予想されたり、抗がん剤治療によって可妊力が損なわれたりする可能性のある女性向けの技術だった。しかし最近は、妊娠するのに医学的な問題のない女性も、卵子凍結を考慮するようになってきている。これは、女性の身体の生物学的老化によって可妊力が低下するからだ。可妊力は、女性が胎児のときから持っていた原始卵胞〔休眠状態の卵胞〕の量や質をもとに推定される。いくつかの研究結果は、女性が年齢を重ねるほど、原始卵胞の数が減少するだけでなく、原始卵胞が分化して形成される卵母細胞〔雌性《しせい》生殖細胞で、卵子のもととなる〕の質も低下すると指摘している。

社会的卵子凍結

卵子凍結は比較的最近になって広く知られるようになった。人間の卵子を凍結させることは、技術的に簡単ではなかったからだろう。人間の精子凍結については1950年代に早々に成功しているが、卵子凍結は1980年代序盤にはじめて試みられ、それも既存の技術では望ましい結果が出なかった。生殖細胞の凍結保存技術を開発するとき、精子が卵子よりも好まれ、より早くから成果を出した理由は、二つの細胞の水分量に差があるためだ。

　生体の凍結保存技術の核心は、細胞内の水分が凍ってできる細長い氷の結晶が細胞を損傷しないよう、その大きさを最大限小さくする点にある。精子を凍らせるときは、細胞から水をゆっくりと抜いて、凍結防止剤（を含む保存液）でその場所を代替する。その過程を繰り返しながら、温度を徐々に下げていく。「緩慢凍結法」と呼ばれるこの方法は、水の代わりに凍結防止剤の濃度を徐々に高めることで、氷の結晶をつくることなく安全に精子を凍結できる。精子よりもはるかに大きく、水分が細胞の80％以上を占める卵子は、同じやり方では水分を完全に取り除けない。緩慢凍結法を適用した卵子は、氷の結晶によって損傷すると再び使うことができなくなる。こうして凍らせた卵子で妊娠に成功したとしても、胚が発達する過程で、ときに予想だにしない問題も発生した。

　凍結した卵子の質は、１９９０年代末の「ガラス化（凍結／保存）法」という新技術が開発されて劇的に変わった。ガラス化法は、卵子の水分を取り除く代わりに、高濃度の凍結防止剤（を含む保存液）を用いて液体窒素にひたし、10秒以内と極めて短時間に凍結する方法だ。この方法を利用すると、卵子のなかの水分は白い部分が見える氷の結晶体ではなく、透明なガラスのように液体でありながらも個体の状態になる。この新たな凍結法は、冷凍時間を短縮したのはもちろん、既存の技術では40〜60％に過ぎなかった卵子の生存率を、80～90％の水準まで引き上げた。[1]

ガラス化凍結という革新的な進展があったにもかかわらず、実際に人々がこの技術を利用しだしたのはずいぶんあとだった。アメリカ生殖医学会（ASRM）は、卵子凍結に関する研究結果がまだ十分ではないという理由で、長いあいだ、卵子凍結を禁止してきた。アメリカでは、2012年にこの禁止措置が解除されて、それ以降に卵子凍結の施術が始まった。一方、2000年代初頭から卵子凍結が始まった韓国では、「医学的卵子凍結」とは区分される「社会的卵子凍結」が2015年から本格化した。社会的卵子凍結は、女性は加齢にともない可妊力が低下していくという前提から出発している。つまり、可妊力の高いうちに卵子を凍らせて、実際に妊娠する時期を遅延させるのだ（もう一方の医学的卵子凍結は、抗がん剤治療や放射線治療など、悪性腫瘍の治療前に行われることが多い）。2020年に、韓国国内でもっとも大きな卵子バンクを保有する病院を取材したが、この病院で卵子凍結した来院者の90％以上が、社会的な動機から可妊力を保存しようという30代女性であったことがわかった。[2]

1　「1999年8月7日世界初、車《チャ》病院で『ガラス化卵子凍結法』を用いた赤ちゃん誕生」『ローイシュー』2017年8月7日［韓国］

卵子凍結施術の実際の効用は低い

女性にとって、20〜30代はキャリアのはしごを上っていく時期であると同時に、子どもを持てる能力に大きな変化が現れる時期でもある。専門家は、だいたい35歳を基点に女性の可妊力が低下しはじめるという。可妊力が低下する前に質の良い卵子を前もって冷凍しておいて、30代半ば以降に安定したキャリアと配偶者を手に入れたときにその卵子を取り出して妊娠するというのが、卵子凍結産業が提案するシナリオだ。しかし、このシナリオには盲点が多い。

韓国で社会的卵子凍結の施術件数が増えたのは、ごく最近のことだ。国内のある病院で保管される凍結卵子の数は、2014年までは最大30個になるかならないかだったが、2015年に71個と2倍に増え、2018年には4563個まで急増した。[3] 2014年に20人だった顧客数は、2017年に194人に増加している。別のある調査によれば、2013〜2015年に卵子凍結した韓国女性の62％が、晩婚および高齢出産に備えるためという社会的な動機を持っていた。[4] しかし、遅くなってもいいからと、あとで妊娠するつもりで働く女性たちの本心はどうだろうか？

高学歴の未婚女性が仕事に没頭するために、今妊娠する代わりに卵子凍結を選ぶ――こうした認識は、女性が仕事で成功するためにはそうすべきだというメッセージを掲げる卵子凍結の商業化と共に生まれた。２０１４年、「あなたの未来をリードせよ！」という広告コピーを掲げたアメリカのあるヘルスケア系スタートアップ企業は、ニューヨークの高級ホテルに専門職の女性数百人を招待して、「卵子凍結パーティー」を開いた。こうしたマーケティング戦略は、専門職の女性たちが家庭よりも仕事を重視し、その結果卵子凍結を選ぶというイメージをつくりあげるのに一役買った。

一方、卵子凍結を選んだ欧米の女性たちの、具体的な動機を調査した研究を見てみよう。アメリカのある病院が、卵子凍結の施術を受けた女性にその動機を尋ねたところ、回答者（重複回答可）の88％が「現在パートナーがいないため」と答えた。「キャリア維持」は24％にとどまった。[5] 働く女性が卵子凍結を選ぶ理由は、キャリアを重要視するからではなく、望ましいパートナーがいないからだった。実際に卵子凍結を考慮するケースは、高

2　チャ・ヨンス＋キム・ジア「【密室】卵子凍結90％未婚女性…政府支援？　自費で３００万ウォン支払う」『中央日報』２０２０年２月20日［韓国］

3　キム・ジャンディ「私の卵子はいくつ残ってたっけ…【いつか】産むつもりだという女性、卵子凍結急増」『連合ニュース』２０２０年11月22日［韓国］

4　オム・キョンチョル「『未来の子』のための『卵子凍結』増えているが」『ＫＢＳニュース』２０１６年２月26日［韓国］

所得の専門職よりも、金銭的に不安定な状況に置かれた女性たちのほうが多いという研究もある。[6]

また、凍結卵子の実際の利用率は高くないという研究もある。現在の卵子凍結技術が、いかに「新鮮な卵子」ほど受精率が高いと保証したとしても、いざ凍らせた卵子が実際に使われていないのであれば、その技術の効用は大きくないとみるべきだろう。主に欧米圏で行われた研究によれば、凍結卵子を実際に使う比率はわずか3・1〜9・3％にとどまっている。[7]

これら研究結果の数々は、結婚適齢期の女性をとりまく複雑な状況と通じている。20代半ばから30代初めに「質の良い卵子」を凍らせておいて、35歳でお望みの相手と出会って結婚した女性がいるとしよう。彼女はきっと、可妊力が多少落ちているという点を考慮したうえで、自然妊娠を試みるであろうし、あえて凍らせておいた卵子を取り出して使いはしないだろう。ところが、凍結卵子を使わなければならないほど高齢の女性が、依然として「妻」や「嫁」としての役割が強く求められる今の結婚文化において、結婚したいと思える相手に出会う確率は低い。排卵誘発剤を注射してまで取り出した卵子たちは、密閉された保管装置から永遠に出られないか、時間が過ぎれば廃棄されてしまう。

男性のための精子凍結はない

卵子凍結シナリオのもっとも大きな限界は、子を持つ過程における男性の役割が完全に排除されている点にある。男性のための精子凍結シナリオはない。精子も妊娠に必要不可欠な生殖細胞であり、精子凍結が卵子凍結よりも技術的にはずっと早くに開発されているにもかかわらずだ。抗がん剤治療を控えた男性が可妊力を保存するために、「医学的精子凍結」の施術を受けることも確かにある。しかし、「社会的精子凍結」は、これまでに一度も、社会的卵子凍結ほど関心を集めたことはない。

男女の生殖細胞は、すべて加齢の影響を受ける。男性の年齢が高いほど精子の質は落ち

5　Brooke Hodes-Wertz et al., "What do reproductive-age women who undergo oocyte cryopreservation think about the process as a means to preserve fertility?," *Fertility and Sterility* Vol.100 no.5 (2013).

6　Yael Hashiloni-Dolev et al., "Gamete preservation: knowledge, concerns and intentions of Israeli and Danish students regarding egg and sperm freezing," *Reproductive Biomedicine Online* Vol.41 no.5 (2020).

7　Zion Ben-Rafael, "The dilemma of social oocyte freezing: usage rate is too low to make it cost-effective," *Reproductive Biomedicine Online* Vol.37 no.4 (2018).

て、可妊力は低下するという研究は多い。子どもの自閉スペクトラム症（ＡＳＤ）や統合失調症などが父親の年齢と関係があると主張する研究によれば、子に変異した遺伝子が伝わる確率は、父親が子を持つ年齢に比例して高くなるという。[8] 母親から受け継いだ遺伝子で起きる変異が、年齢とは無関係に15個なのとは対照的に、父親から受け継いだ遺伝子で起きる変異は、20歳で25個であるのに対し、40歳では65個に増える。

こうした研究結果があるにもかかわらず、男性の年齢と可妊力との関係についての男性の認識は、どこまでも不足している。２０２０年の欧州の男性を対象にした研究では、参加者の約75％は生物学的老化と男性の可妊力との関係を認めず、また、その内容についてもまったく知らないと回答した。[9] また、その80％以上が精子凍結技術について否定的な反応を見せ、よくわからないと答えた。彼らは精子凍結を、精子に対する自らの統制力《コントロール》を奪うものとみなし、凍結された精子が悪用される余地や精子凍結技術の副作用などを心配している。未来の可妊力を心配する女性が卵子凍結という保険に入るのとは異なり、自分の可妊力を確信する男性にとって、精子凍結は悩む必要すらない技術と思われているのだ。生殖補助医療技術の議論においてもっとも喫緊なのは、男性の体と精子にも生物学の時計が作動するという当然の事実を、私たちの誰もが認識することだろう。

韓国で社会的卵子凍結が始まって10年になろうとしている。データを十分に蓄積するには、まだ短い時間だ。高濃度の凍結防止剤を使用して凍らせた卵子から生まれた子どもに問題はないのか。ホルモン注射で排卵を誘発して卵子を採取する際に、女性にかかる肉体的な負荷やリスクをどのように緩和したり予防したりしていけるのか。凍結卵子はその人物の死後、どのように処理され、管理されていくのか。これらの課題についての科学的検証や政策的議論は、まだ足りていない。

21世紀に登場した新技術「卵子凍結」は、これまでに開発された避妊薬に匹敵する女性解放の道具として浮上している。今女性は、望まない妊娠を避ける技術まで手に入れた。しかし、女性が技術の消費者となり、生物学や社会の束縛から解放されるというシナリオは、まったく新しいものではない。生殖補助医療技術についての別のシナリオが必要だ。はっきりしているのは、そのシナリオの主人公には、絶対に男性が一緒に登場すべきだということである。

8　Augustine Kong et al., "Rate of *de novo* mutations and the importance of father's age to disease risk," *Nature* Vol.488 no.7412 (2012).

9　Caroline Law, "Biologically infallible? Men's views on male age-related fertility decline and sperm freezing," *Sociology of Health & Illness* Vol.42 no.6 (2020).

7章

差別をしないAIをつくる

2021年初頭、韓国のITスタートアップ企業が導入した女性型チャットボットが、差別心をあらわにした憎悪表現《ヘイトスピーチ》を行い非難された。チャットボットとは、人工知能（AI）のアルゴリズムによってユーザーの言葉に応対する会話ロボット（自動会話プログラム）のことで、「対話型AI」とも呼ばれる。20代女性の外見にデザインされたチャットボット「イルダ」は、「友だちみたいなAI」というコンセプトで企画されたサービスだ。しかし、サービスが開始されてすぐに、男性ユーザーたちのあいだで「イルダ」と性的な会話をするための裏技がオンライン上でシェアされはじめた。女性や性的マイノリティ、障害者についての考えを問われた「イルダ」が、ヘイトスピーチで応じる事態も起きていた。「イルダ」を取り巻くヘイトスピーチ騒動は、サービスの開発過程で、ユーザーの同意を明確に求めていなかったデータが使われたという暴露へとつながった。結局このサービスは、導入から20日あまりで中断し、ＡＩ倫理に関する議論へとつながっていった。

人間に従うＡＩ

人間ではない機械が、どうやってヘイトスピーチをするようになったのだろう？　まず、ＡＩがどのように機能するのか把握しておこう。

ＡＩは人間の知能に似た機械であり、「機械学習《マシンラーニング》」はそのような機械を具現する方法の一つである。機械学習に使われる機械は、与えられたデータを学習して、そこから一定の規則を探し出す。そしてその規則を新しいデータに適用し、答えを導き出す。そうやって人間の「学習」および「推論」の能力を具体的に表してくれるのだ。このとき、機械がデータを分析し、学習するのに必要な特定のプロセスや方法を「アルゴリズム」と呼ぶ。「イルダ」は、特定のやり方で設計された機械学習のアルゴリズムに沿ってデータを習得し、人間のように会話するＡＩだ。このような「対話型ＡＩ」には、主に人間の言語を分析し処理する「自然語処理（ＮＬＰ）」と呼ばれるアルゴリズムと、与えられたデータを活用して学習目標にあった規則を自ら探し出す「ディープラーニング（深層学習）」のアルゴリズムが適用される。

「イルダ」の場合、莫大な会話データから返答の候補をいくつか選び出し、そのなかからたった一つの返答を選ぶ過程で、ディープラーニングのアルゴリズムが適用された。このアルゴリズムは、既存のデータベースと学習の過程に使われたデータから、ユーザーとの以前の会話記録までをすべて分析したあと、もっとも自然なかたちで返答できるように構築されている。ディープラーニングのアルゴリズムに従うAIは、日頃与えられるデータと目標に沿って自ら学習し、ユーザーがある答えを要求すれば、学習の過程で形成された規則を根拠に返答する。与えられたデータにもとづき統計的に構築されたAIの規則に、人間の開発者の意図や偏見が入り込む余地はない。「イルダ」の差別的な発言は、人間の開発者が提供した莫大な会話データを蓄積し、学習した彼女が新たに構築した規則に従って出てきたものである。

それでは、「イルダ」のようにデータベースから返答を選ぶ方式ではなく、アルゴリズムによって返答を直接生成するモデルはどうだろう？　グーグルが開発したチャットボット「Meena（ミーナ）」が、まさにこのタイプのAIだ。「Meena」は26億個の変数《パラメータ》のあるニューラルネットワークで400億個の単語を訓練《トレーニング》する。AI用の学習データが決められていた「イルダ」とは異なり、ユーザーと新たな会話を交わしながら学習データを増やしていく。
グーグルは、対話型ＡＩの返答や文章が「どれくらい意味が通るか」「どれくらい具体的か」を基準に、ＡＩの対話能力を評価する指標を開発した。例えば「私は科学が好き」という人間の言葉に対し、ＡＩが「わぁ、素敵」と答える状況は会話として成立している。してはいるのだが、返答が具体的ではないため高い点数はもらえない。「私も科学が好き。でも科学者になるほどじゃないよ」というような、状況に応じた返答をしてようやく高い点数を獲得できる。この指標に対し、人間は１００点満点中86点を、「Meena」は79点を記録したそうだ。[1]
この数値だけを見ると、「Meena」は人間とさほど問題なく会話ができるように見える。しかし、グーグルはまだこのサービスを正式に公開してはいない。指標上の点数は悪くなかったとしても、ＡＩが使われる実際の現場では、思いもしないことが起こるものだからだ。例えば、同じ指標を用いてテストした「イルダ」の点数は、「Meena」より1点低いだけの78点だった。返答を直接生成するモデルであれ、データベースから一つの返答を選び出すモデルであれ、すべてのＡＩは人間がつくった膨大なデータで訓練されているという点を考慮すると、ＡＩチャットボットは、ヘイトスピーチのリスクから自由にはなれない。

「イルダ」のヘイトスピーチは、彼女が学習した実世界の会話データから出てきたものだ。「イルダ」の開発会社は、彼女の前に、カカオトーク（韓国発のメッセンジャーアプリ）上でのカップルの会話を分析するサービスを導入していた。つまり、その企業は約１００億件の会話データを保有しており、このデータを「イルダ」の学習に用いたのだ。統制や検閲から比較的自由なカップルたちの日常会話は、差別的な発言やヘイトスピーチが含まれる可能性が高い。社会的マイノリティを嫌悪する社会に蓄積されたデータを使って学習したＡＩは、ヘイトスピーチをするほかない。

人々はみな、日々自分の偏向《バイアス》をもとに会話し、行動する。では、なぜＡＩにばかり、こうした厳格な基準を適用しなければならないのだろうか？　数名の人が交わすプライベートな会話よりも、（不特定多数の人とやりとりする）たった一つの対話型ＡＩサービスがもたらす社会的影響力のほうが、はるかに大きいからだ。たった2週間、そのあいだに「イルダ」と一度でも話したことのあるユーザーは75万人にのぼる。ＡＩサービスの莫大な波及力を目《ま》の当たりにした韓国社会は、ＡＩの差別とヘイトの問題に再びぶつかることになっ

1 Daniel Adiwardana & Thang Luong, "Towards a Conversational Agent that Can Chat About... Anything," Google Research Blog, January 28, 2020.

た。

ＡＩには人工アルゴリズムが必要だ

ＡＩチャットボットを開発するときに考慮すべきことは、データ以外にもある。ディープラーニングのアルゴリズムが自ら規則を探すときに必ず従わなければならないもの、それが「学習目標」だ。

「イルダ」が当初から友だちみたいなＡＩを目指してつくられた点に注目してみよう。まず、自然語処理のアルゴリズムを使う対話型ＡＩを、大きく二つのタイプに分けてみる。一つは、ユーザーの要求を把握して解決する「タスク指向型」、もう一つは、テーマなどの制限なしにユーザーと会話を続けること自体が重要な「非タスク指向型」だ。後者に当たる「イルダ」は、ユーザーと友だちみたいに自然な会話を実現するという目標に従っていた。

「イルダ」が引き起こした問題は、人間のように自然な会話をしようという学習目標から して、そもそも予見されていたと言える。差別やヘイトが公然と起こる現実の会話データをＡＩのアルゴリズムに提供し、できるだけ人間らしい返答を探すように学習目標を設定したとき、はたしてアルゴリズムは、望ましくない発言を排除する規則など見つけ出せるだろうか？　そんなＡＩは例外的だ。私たちの周辺に、差別やヘイトを含んだ発言や行為をまったくしない人を探すのが難しいのと同じである。

そうであるならば、ＡＩを人間に似せることを目標としないやり方はあるのだろうか？　２０１６年にカーネギーメロン大学のArticuLabがつくったＡＩアシスタントチャットボット「ＳＡＲＡ（サラ）」は、そうした別の目標を持たせたタスク指向型ＡＩについて考えるきっかけとなる。「社会性のあるロボットアシスタント（Socially Aware Robot Assistant）」の頭文字をとった名前がつけられた「ＳＡＲＡ」は、ダボス会議（世界経済フォーラム）でイベント案内を手伝った。平凡なイベント案内用チャットボットに見えるこのＡＩは、「友だちみたいなＡＩ」という目標から脱し、タスク指向型ＡＩの新たな可能性を見せてくれた。

「ＳＡＲＡ」は、ユーザーの要求を解決するタスク指向型のＡＩにもかかわらず、高度の社会性を追求する。利用者が気軽な会話のなかから情報を得られるよう、「ＳＡＲＡ」の社会性を高める作業に集中した。ユーザーとＡＩアシスタントの関係が円滑であってこそ、ＡＩアシスタントの業務能力を高められると判断してのことだ。[2]「ＳＡＲＡ」は、人間の友だちになるためではなく、有能なアシスタントになるために社会性を高めた。

「ＳＡＲＡ」のデータセットとアルゴリズムには二つの特徴がある。まず「ＳＡＲＡ」は、コントロールされた状況と特殊な目的下で交わされる人間の会話データ、言うなれば「人工データ」を使って学習した。研究者たちは、はじめて会った二人が少しずつ親しくなり、互いに数学を教え合うという実験を行った。その二人が交わす会話はもちろん、視線、微笑《ほほえ》み、うなずきといった非言語的《ノンバーバル》コミュニケーションのすべてを含むこのデータを、「ＳＡＲＡ」の学習に使った。これはつまり、「ＳＡＲＡ」とユーザーとの関係を最大限似せて再現した二人の人間の会話をデータ化したものである。また「ＳＡＲＡ」は、研究者が設定した特殊な戦略にも従った。研究チームは、人間の社会的行動を長期にわたって観察してきた人類学の研究をもとに、社会的関係を形成する会話について5つの基本戦略を立てた。イベントの参加者が「ＳＡＲＡ」になんらかの情報を求めれば、「ＳＡＲＡ」は相手が望む情報に加え、その情報を活用する方法まで提案する。例えば、参加者に発表会場の位置情報を教えながら、「私は情報を書き留めておかないと忘れてしまうんです。あなたも私と同じなら、この画面を写真で撮っておいてください」といった返答をする。これには「自身の弱点を見せる」という戦略が反映されている。私たちが謙虚な姿勢で相手を尊重するときに使うコミュニケーション方法そのものだ。

こうした「SARA」のアルゴリズムは、特別な「人工アルゴリズム」と呼べるのではないだろうか？　AIの返答を機械が自ら探し出す規則に任せずに、人間が適切に介入するという意味で。差別をしないAIは、自然なデータや自ら学習するアルゴリズムではなく、人為的な努力と介入によって調整されたデータとアルゴリズムからつくられる。

ArticuLabの開発者たちは、人間の代わりをするAIではなく、ユーザー（人間）と協力するAIとして「SARA」をつくったと語る。ここではAIが人間みたいになることを期待する以上に、AIが人間の仕事を助けることが目標となっている。「イルダ」と「SARA」の事例から、AIとユーザーの類似性をAIの目的とする場合と、ユーザーが任務を遂行するためのアシスタント的役割をAIの目的とする場合とで対比される。人間に従属することがAIの究極目標になると、ありのままの会話を学習するAIはもちろん、のちにそのAIとコミュニケーションする平凡なユーザーまでもが、深刻な差別とヘイトに晒《さら》されかねない。

2　Florian Pecune et al., "Field Trial Analysis of Socially Aware Robot Assistant," *Proceedings of the 17th International Conference on Autonomous Agents and Multiagent Systems* (2018).

差別の時代にAIをつくる

女性を差別しないAIを実現するために「人工データ」や「人工アルゴリズム」まで必要だなんて、事実上、女性と共存するAIなど不可能に近いのではないか？　と思われたかもしれない。「SARA」を開発するときに用いた会話の基本戦略を研究するだけでも、8年がかかったという。女性型AIチャットボットをセクシュアル・ハラスメントの対象として見ない人間のユーザーをつくるには、さらにどれくらい長い時間がかかるだろうか。推論することは難しい。

そうとなれば、二つ目の方法がある。これは対話型AIではなく、AI一般により適した方法だ。偏向したAIが差別やヘイトを引き起こすのは、アルゴリズムにエラーが発生したり、アルゴリズムで例外的な何かが起こったりしたからではない。むしろ、データの規則をもっとも正確に学習した結果としてこれらは現れている。AIのこの優れた学習能力を、ステレオタイプと差別が入り混じった現実を検出し、立証するのに活用してはどうだろうか？　目の前に現れたAIのバイアスを証拠にして、現実にある差別やヘイトに反対する、そんなやり方だ。[3]

2017年、バージニア大学コンピュータ学科の教授ビセンテ・オルドネスは、フェイスブックやマイクロソフトが収集した画像数百万点を学習した「画像認識ＡＩ」をつくった。[4] このＡＩは、ショッピングや洗濯のシーンは女性に、何かを教えたり銃を撃ったりするシーンは男性に結びつけ、キッチンにいる男性を女性だと誤認することもあった。こうした事例は主に、ＡＩがデータ上のバイアスを反映し、強化するという主張の根拠に用いられる。しかし、逆転の発想で見てみると、これはＡＩが社会的なバイアスをいかに可視化しているかを示す証拠ともいえる。

女性を差別しないＡＩをつくるのは難しいのに、女性を差別するＡＩをつくるのはこんなにも簡単なのだ。ＡＩは客観的だという神話を打ち壊すことはより困難なのに、ＡＩが客観的だと思い込ませておくことはこんなにも簡単なのだ。女性と共存するＡＩをつくる二番目の方法、それはＡＩの差別とヘイト、バイアスを隠したり消したりするのではなく、逆にそうした問題が私たちの身の回りに蔓延《まんえん》しているという現実を見せつけるための

3　ハン・ヘラ「人工知能とジェンダー差別」『梨花《イファ》ジェンダー法学』第11巻3号、２０１９年、１〜39頁［韓国］

4　Jieyu Zhao et al., "Men Also Like Shopping: Reducing Gender Bias Amplication Using Corpus-level Constraints," *Proceedings of the 2017 Conference on Empirical Methods in Natural Language Processing* (2017), pp. 2979-2989.

道具にすることだ。差別とヘイトが存在するという現実をいとも簡単に否定してしまう今の人間にとって必要な技術は、この社会の差別やヘイトを「客観的に」見せつける技術ではないだろうか？

私たちは、これからもっとたくさんのAIサービスを利用するようになるだろう。「イルダ」を取り巻く問題から明らかになった、日常的な差別やヘイトといった欠陥は、AIを利用する人間にもある。「イルダ」はヘイトスピーチの主体である前に、女性に向けられたヘイトやセクハラの対象だった。ユーザーは、20代女性みたいなAIに対して、まるで20代女性の人間に対して接するように行動したのだろう。ひと月にも満たない短期間に「イルダ」は重要な教訓を残した。これからAIと女性が共存していくためには、自然に起きてしまっている差別やヘイトを「人工的に」乗り越えようという意識を持ったユーザーが増えるべきなのだ、と。

8章

アシスタントロボットは女性だという錯覚

人間は長いあいだ、人間に似た機械を夢見てきた。中世以降、「自動人形」と呼ばれたいくつかの〔機械仕掛けで〕動く人形があった。20世紀初頭は、実際のロボットよりも先に「ロボット」という名称が登場した。ロボットを描く人間の想像は、コンピュータ技術が発展するにつれて現実のものになった。最初の産業用ロボットは20世紀中ごろに開発されたが、当時の産業現場に導入されたたくさんのロボットは、人間の手や腕の代わりをするに過ぎなかった。ベルトコンベアの上を通り過ぎる物《モノ》の位置にあわせて、決められた範囲内でのみ動くロボットの腕《アーム》を思い浮かべてみてほしい。

ロボットの姿が人間の姿に似るようになったのは、かれらが人間たちの日常に入り込んできてからだ。工場から抜け出し、イベント会場やオフィス、病院にも配置されるようになったロボットは、今ではレストランで注文をとり、料理を運んでいる。人間が生活する空間で人間と交流しながら働くロボットは、以前よりももっと人間に似た姿を求められるようになった。人間をサポートするこうしたロボットは、特に女性に似せてつくられる傾向にあった。

「エバー」と「ヒューボ」、二つのロボットの話

もちろん、すべてのロボットが女性の見た目をしているわけではない。しかし、女性の姿をしたロボットと、そうじゃないロボットには、はっきりと違いがある。「エバー（EveR）」と「ヒューボ（Hubo）」と呼ばれる二つのロボットを見てみよう。「エバー」（EveR-1）は2006年に韓国生産技術研究院（KITECH）が国内初を掲げて開発したロボットだ。博物館やデパートで観覧客や顧客を案内したり、児童教育を目的に、人間に似せてつくられた。2004年に韓国科学技術院（KAIST）が開発したロボット「ヒューボ」は、優れた身体組織能力が特徴だ。ひとの入りにくい事故や災難の現場にすばやく移動し、問題を解決する災害対応ロボットとして設計された。

「エバー」は女性に似せてつくられた。身長160センチ、体重50キロの体型に、女性芸能人二人の顔を合成したルックスだ。シリコン素材の肌にロングヘア、スカートやワン

ピースを好んで着る。「エバー」の機能は上半身、特に顔に集中している。細い腕と小さな顔を実現するために超小型モーターと制御装置が使われており、15個の小型モーターによって人間のような喜怒哀楽を表現できる。

「ヒューボ」は、いかにも機械という印象が強い。金属材が表面にむき出しになっている「ヒューボ」は、開発初期は120センチ、40〜50キロの体型だったが、その後いくつかのバージョンを経て、最近は250センチ、280キロにまで大きくなった。顔があるべき場所には（災害）現場の情報を集めるためのカメラやセンサーがついている。「エバー」とは異なり、顔のつくりや髪の長さ、服などによってジェンダーを表現していない。

なお、「ヒューボ」は厳密に言えばヒューマノイド（ヒト型ロボットの総称）だが、アニメーションに登場するロボットみたいに表面は金属製で、人間みたいな身体動作や行動をするよう制作されている。一方、「エバー」はアンドロイド（人間に酷似した外見をもつヒューマノイド）であり、当初は人間と区別できないぐらい似せるようにつくられた。「エバー」が「若くてスリムで美しい」女性の特徴をそのまま反映した結果だとしたら、「ヒューボ」は単なる人間の形状をかたどっただけだ。しかし、この一見ジェンダーレスなロボット（ヒューボ）は、男性を表す人称代名詞で呼ばれ、それどころか特殊制作されたアルベルト・アインシュタインの顔面マスクを頭部にかぶせて「アルベルト・ヒューボ」というニックネームでも呼ばれていた。身長と体重を増やした「ヒューボ」が２０１５年の災害救助用ロボット競技大会（ＤＡＲＰＡロボティクスチャレンジ）で世界１位を獲得する一方で、「エバー2ミューズ（EveR-2 Muse）」は２００６年10月、世界初の芸能人ロボットとしてステージに立った。

親近感を具現化する

「エバー」と「ヒューボ」のケースから推測できるように、ロボットの外見はロボットの仕事内容と関係がある。女性に似た「エバー」の外見は、訪問客に必要な情報を提供したり、子どもたちに絵本を読み聞かせてあげたりする「エバー」の仕事内容を反映している。アップルの「Siri（シリ）」とマイクロソフトの「Cortana（コルタナ）」、アマゾンの「Alexa（アレクサ）」といったパーソナルアシスタントＡＩプログラムも、やはり最初は女性の声だけでリリースされた。

女性と認識されるロボットが担当するガイド、教育、家事、ペット（の世話）などのケア労働は、社会的には「女性の仕事」だと思われている。女性ロボットの仕事は、人間の代わりに肉体的に難易度の高い仕事や計算をするロボットとは違って、人間と社会的関係を結び、共感する「社会的ロボット《ソーシャル》」の仕事と重なる。ソーシャルロボットはユーザーの意図や感情を正確に認識し、それにふさわしい行為を学習・判断して、ユーザーに最適化されたサービスを提供する。

ソーシャルロボットが仕事をする過程では、人間との相互作用《インタラクション》が必ず含まれているため、これを手掛けるロボット工学者は、人間とロボットが自然に共感し、コミュニケーションをとれるように神経を使う。そういう意味では、ソーシャルロボットを女性の外見にデザインすることは一見、実用的で合理的な判断のように見える。デパートの案内ロボットが広い肩幅に大きな体格で、さらに野太い男性の声だったとしたら、顧客も近寄りがたいかもしれない。その一方で、清潔な身なりに若くてやさしい女性の姿をしたロボットであれば、親しみを感じてもらえるだろうという前提がここにはある。このように、ソーシャルロボットに与えられたジェンダー特性は、ユーザーが機械に感じる違和感を、あたかも人間に接するような親近感に変えて、両者の相互作用を自然に誘導する。

親近感は、「人間－ロボット間相互作用」(Human-Robot Interaction, HRI) に欠かせない重要な資源だ。日常生活のあちこちで目にする国内外の企業が開発した音声認識スピーカー、仮想パーソナルアシスタント、対話型ＡＩ（チャットボット）などは、主に女性の特性としての親近感を表現している。ここでも、毎朝その日の天気を知らせてくれたり、小さなミスで気落ちしている誰かの心をやさしくなぐさめたりするような仕事は、女性が担ったほうが自然だと思われていることがわかるだろう。

ケアが女性ロボットの仕事になるまで

ソーシャルロボットに与えられた女性の特性は、自然なものではない。「ケア」の仕事としての価値が低く見なされるにつれて、そうした仕事は主に女性が担うようになり、さらにはロボット開発にもこの現実が反映されて、ソーシャルロボットが女性の外見を帯びるようになった。

韓国だけでなく、カナダ、ドイツ、日本など、いくつかの国に存在していた「電話交換手〔テレフォンオペレーター〕」の事例を見てみよう。[1]〔国際電話の〕発信国と着信国のあいだでかかってきた電話を手動でつないでくれる電話交換手の仕事は、映画やドラマでは主に女性の仕事として登場する。今日《こんにち》のコールセンターのオペレーターの大多数が女性であるのと同じように。

しかし、電話事業が導入された初期は、この業務を担当していたのは大部分が男性だった。電話機が安く普及されるまでは、電話は富裕層だけが使える専門サービスだった。電話交換手の主な業務も、富裕層の要求に応えて電話機の使用と関連した専門知識を伝えるものだった。時が経ち、どの家庭でも電話機が使われるようになると、専門的な知識や技術を説明するよりも、懇切丁寧に応対する人材のほうが必要になり、そうやって電話交換手は女性の仕事になっていった。女性は男性よりもやさしいという認識が強かっただけでなく、女性には賃金を少なく払ってもいいという認識もあった。つまり、電話交換手を女性の仕事だと考えるのは、その仕事がもともと女性の役割だったからではなく、その仕事を女性が担うようにした社会文化的な転換の結果である。そして、いつのまにか女性の姿と声をした案内ロボットが女性案内員の代わりをするようになり、より安い費用でより親切なサービスを人間に提供している。

もしケアが女性の仕事だと思われているなら、ロボット工学者がケアロボットを女性の外見にするのは合理的な選択のように見える。社会的に通用しているジェンダー・バイアスは、ロボットと人間の相互作用をさらに円滑にしてくれるからだ。

２００５年、カーネギーメロン大学ＨＣＩ（Human-Computer Interaction）研究所のサ

1　イ・ヒウン「ＡＩはなぜ女性の声なのか?――音声認識装置テクノロジーとジェンダー化された声」『韓国言論情報学報』第90巻3号、２０１８年、１２６～１５３頁［韓国］

ラ・キースラーの研究チームと、オレゴン大学心理学科教授アダム・クラマーは、〈「ユーザーは、男性型ロボットよりも女性型ロボットのほうがデート規範について詳しいと思い込む、もしそうであれば、ユーザーは女性型ロボットに対してはデート規範について効率的に説明するが、男性型ロボットには対してはより詳しく説明するはずだ」という仮説をもとに〉20代のユーザー男女33人を対象に、携帯電話のメッセージを通じて、女性または男性型ロボットとデート規範について会話をさせた。[2] 実験では、おおかたの女性ユーザーは女性型ロボットよりも男性型ロボットと、男性ユーザーは男性型ロボットよりも女性型ロボットと、より多く会話を交わした。これは、性別の異なる者同士でコミュニケーションをとるときにスムーズにいかなかったために、何度も繰り返し説明をしたためだ。

こうした現象を前に、研究者たちはロボットと人間がよりスムーズに一緒に仕事をするためには、仕事の特性に合った性別でロボットをつくるべきだという主張を繰り広げた。つまり彼らは、業務効率のためにはジェンダー・バイアスを踏襲したほうがいいという結論にたどり着いたのだ。

デザイン面からみると、ロボットに性別を与えるのはそれほど難しいことではない。人々は典型的な女性の名前や声を与えられれば、すぐにそのロボットを女性と認識する。[3] 肩幅を広くしたり腰にくびれをつけたりするだけでも、性別の違いを認識できるという研究もある。[4] ジェンダー規範に沿ってロボットをデザインすると、人間はすぐ、ジェンダー・バイアスに従ってそのロボットと会話しようとするのだ。アシスタントロボットを女性にデザインすることは、効率的なアシスタントロボットをつくる安易な方法ではあるのだが、だからこそ、やはり安直な戦略でしかない。

女性パーソナルアシスタントロボットが、女性に及ぼす影響

女性ロボットの問題は、ロボットが女性だということよりも、そのロボットがどんな女性を表現するかにある。ロボットが模倣する女性は、だいたい仮想の20代女性で、現実には存在しない理想的かつ性愛化された存在だ。その反面、仮想の20代男性を再現するロボットは皆無である。「どこから見ても男」と言えるようなアンドロイドはめったにいな

2 Aaron Powers et al., "Eliciting Information from People with a Gendered Humanoid Robot," ROMAN 2005, *IEEE International Workshop on Robot and Human Interactive Communication* (2005).
3 Tatsuya Nomura, "Robots and Gender," *Gender and the Genome* Vol.1 no.1 (2017), pp.18-25.
4 Gabriele Trovato, Cesar Lucho, & Renato Paredes, "She's Electric: The Influence of Body Proportions on Perceived Gender of Robots across Cultures," *Robotics* Vol.7 no.3 (2018), p.50.

いし、いたとしても、現実に存在する専門家の男性を模写したケースが大部分だ。日本のロボット工学者・石黒浩は、女性アンドロイドの「エリカ（ＥＲＩＣＡ）」そして「Ｕ（ユー）」を、まるでセックスドールを連想させるようなルックスで開発したが、男性ロボットのほうは中年男性である自分自身の姿形そのままにつくった（遠隔操作型アンドロイド「ジェミノイド」シリーズのうち、いわゆる「イシグロイド」のこと）。

若くてきれいで親切な女性ロボットは、この社会が望む女性の姿を赤裸々に反映している。女性らしい外見で訪問客を迎え、いつも親切でやさしいリアクションを見せるように設計された「エバー」に人々が抱く期待は、実際に女性が長いあいだ強要されてきた社会的な期待と似ている。デ・モントフォート大学でロボットとＡＩの文化や倫理を研究するキャサリン・リチャードソン教授は、女性ロボットが女性の仕事を代わりにする現象が、女性を自由にするどころか、女性への期待やジェンダー・バイアスをさらに強めていると指摘する。[5] 女性パーソナルアシスタントロボットが親しみやすく感じられる世界では、秘書業務を女性の仕事とみなすほうがより自然な期待として感じられるだろう。秘書、看護師、幼稚園の先生として働く女性たちがゆがんだジェンダー・バイアスに憤り、対処法を講じている現実において、女性ロボットは設計された通りの目標を遂行しつつ、（人間の）女性への非現実的な期待を現実につくりだしてしまうことに一役買っている。

ジェンダー・バイアスに従うのは男性ロボットも同じだが、その結果が異なる。「ヒューボ」には肉体的負荷のかかる仕事を男性がするべきという通念が反映されているが、そもそも人間の男性とみなされるような外見をしていなければ、性別もことさらには強調されていない。性別の特性が目立っているからではなく、性別を表す標識がないために、かえって男性のように思われている。舞台に上がった人間歌手の歌を口パクする「エバー2ミューズ」と、際立った〔災害対応〕能力を認められた「ヒューボ」に期待されるものが異なるように、主に男性ロボットの仕事は、その専門性が強調される。ステレオタイプは現実の女性と男性においてもそうであるように、女性型ロボットと男性型ロボットにも非対称的に作用しているのだ。

ジェンダー・バイアスを超え、真のイノベーションへ

ジェンダー・バイアスにもとづいたロボットは、ロボット工学的な観点からも再考され

5　Kathleen Richardson, *An Anthropology of Robots and AI: Annihilation Anxiety and Machines* (Routledge, 2015).

るべきだ。女性パーソナルアシスタントロボットが男性パーソナルアシスタントロボットよりも好まれる理由は、協力的な態度やコミュニケーション能力など、アシスタント業務に求められる特性が女性に特化された能力だと思われているからだ。ここには、二つのステレオタイプが作用する。一つは、特定の性格がアシスタント業務によりふさわしいという性格に関するステレオタイプで、もう一つは、主に女性にそうした特性があると思われているジェンダー・バイアスだ。

2014年、国際学術誌『人間行動におけるコンピュータ』に掲載されたある研究は、二つのステレオタイプが「HRI（人間－ロボット間相互作用）」に及ぼす影響を調べるため、シンガポールの大学生の男女164人を対象に実験を行った。[6] ジェンダー・バイアスの影響を評価するための最初の実験では、外見が同じように見えるロボットとケアロボットに典型的な男女の名前と声を与えた。性格に関するステレオタイプを評価する二つ目の実験では、ロボットたちにそれぞれ異なる性格と特性を与えた。例えば外向的な性格のロボットであれば、声を大きく、高いトーンに、話すスピードも速めに設定した。

実験の参加者たちは、セキュリティロボットには男性型ロボットや内向的性格のロボットを、ケアロボットには女性型ロボットや外向的性格のロボットを好んだ。ところが、実験の結論は、ロボット工学における既存の前提を再確認するレベルにとどまらなかった。

二つの実験を比較したとき、参加者たちはジェンダー・バイアスよりも性格に関するステレオタイプに合ったロボットを前向きに評価したのだ。これは、ジェンダー・バイアスを無批判に適用したロボットよりも、任務遂行にふさわしい資質（性格）を持ったロボットのほうが、人間との相互作用がよりうまくいく可能性があることを示す重要な結果である。

イノベーションは始まった。2015年にアメリカ航空宇宙局（NASA）が開発した火星探査ロボット「ヴァルキリー」（Valkyrie）は、その見事なケースだ。「ヴァルキリー」はオフィシャルの性別がない。特殊素材で制作した長い髪の毛や、やわらかい肌を持たないだけでなく、婦人服を着たりも、顔に表情が現れたりもしない。最近人気を博している、健康的でショートカットの女性スポーツ選手のようでもない。13キログラムの重たくて大きなバッテリーを上体に装着し、胸元はぼこっと飛び出ているにもかかわらず、男性の人称代名詞で呼ばれる。「ヴァルキリー」の開発に参加したアメリカのロボット工学者ニコラス・レッドフォードは、七歳の娘を思いながら「ヴァルキリー」を強い女性ロボットとしてデザインしたのだという。[7] 女性へのジェンダー・バイアスを正反対にひっくり返

6　Benedict Tay, Younbo Jung, & Taezoon Park, "When stereotypes meet robots: The double-edge sword of robot gender and personality in human-robot interaction," *Computers in Human Behavior* Vol.38 (2014), pp.75-84.

してみせたのだ。

パーソナルアシスタントロボットを、常に若くてやさしい女性のイメージに沿ってつくる工学は、社会の弊害になるだけではなく、学術的にも面白味がない。それがロボット工学者の仕事だというなら、「ＨＲＩ」という分野自体、もはや不必要なのかもしれない。

パーソナルアシスタントロボットが女性に似るべきだという思い込みは、言うまでもなく、ロボットは人間に似るべきだという前提をも壊している。人間に必要な機能に最適化した新しい形態のロボットをつくる職業は、安全でも簡単でもないかもしれない。しかし、こうしたチャレンジこそ、過去に安住しない真のイノベーションとなる。それは大胆な工学者が、誰よりもうまくやれる仕事でもあるはずだ。

7　Laura Dattaro, "Bot Looks Like a Lady," *SLATE*, February 4, 2015.

9章

進化論と和解する方法

女性の体は、この世に生まれた瞬間から、常に差別やヘイトの根拠に使われてきた。子どもを産むことのできる体で生まれたせいで、家のなかでは妊娠、出産、育児に追われる苦痛と危険をほぼ一人で抱えなければならないし、家の外ではそうした可能性を持った体のために、公的な仕事や高度に知的な業務にはふさわしくないという偏見に直面しなければならない。子どもを持てなかったり、育児に専念できなかったりするとき、ひいては望まない妊娠を中断しようとするときも、非難の視線を憂慮しないわけにはいかない。

こうした現実において、進化生物学は、女性だからという理由で負担しなければならないジェンダー・ロールや、レイプをはじめとする性暴力ですらも進化の産物だと主張する科学の代名詞として悪名を馳せた。こういう類《たぐい》の進化生物学にフェミニズムが好意的になれないのは、当然のことのように思える。

フェミニズムが生物学を扱う方法

「人は女に生まれるのではない、女になるのだ」というシモーヌ・ド・ボーヴォワールの有名な言葉[1]は、女性を生まれたときから「女」だとみなす現実を鋭く突いている。女性がどんな身体で生まれてきたのかを説明する生物学は、科学的な事実を記述するという名目で、女性の体についての社会的価値を再生産し、強化する。しかし、フェミニズムと生物学が衝突する本当の理由は、生物学の知識が性差別的な内容を含んでいるからではない。それよりも、もっと根深いところで、人間の可能性は遺伝子によってあらかじめ決定されているとする「生物学的決定論」を、フェミニズムは憂慮しているのだ。

生物学を自身の理論に活用するフェミニズムは、生物学的決定論を迂回《うかい》する戦略をとる。月経に関する科学知識を活用するフェミニズムの典型的な叙述はこういう具合だ。

医学では、ホルモンを女性の活動変化に直接的な影響を与える物質とみなす。月経を控えた女性は、ホルモンの影響を受けて急激な気分の変化や、吹き出物、消化不良、腰痛などの身体症状を経験する。しかし、月経前症候群（ＰＳＭ）に含まれるさまざまな症状は、その女性がどんな文化に属しているのかによって異なるという観察結果がある。なかでも月経を否定的に見る文化では、生理痛やＰＳＭに苦しむ女性が多い。月経前の症状は千差万別だが、同じ人でも周期によって症状が異なる点は、月経に関する身体的・心理的な症状が、単純な生物学的な問題ではないということを示唆する。個別の症状を特定の疾病としてカテゴライズし、コントロールしようとする医学の権力に順応してはならない。

これは生物学的決定論に振り回されないようにしようとするあまり、科学知識をそのまま容認してしまう叙述だ。このとき、フェミニズムでは、ホルモンの影響は所与のものとみなし、文化こそがこの単純な生物学を複雑にしているのだと主張する。その過程で生物学は、単に受動的で対象的な学問として扱われる。まるで精子がやってきて受精してくれるのを待っている卵子のように。

1　Simone de Beauvoir, *The Second Sex* (Vintage, 2011).〔邦訳は『決定版　第二の性（Ⅰ・Ⅱ）』『第二の性』を原文で読み直す会＝訳、河出文庫、２０２３年〕

レイプについての説明は、二つの学問の衝突地点をさらに決定的なものにしている。なぜ、レイプのような性暴力の加害者には男性が多いのか？　男性だけを研究対象とする生物学が問題なのか、それとも男性中心の社会が問題なのか？　レイプを進化の産物だと説明する進化生物学の研究もある。フェミニズムは、こうした科学が性犯罪を正当化する手段として実際に使われていると指摘する。しかし、フェミニズムの憂慮の入り混じった主張もまた、科学的な事実と社会的な価値を混ぜ合わせた「自然主義の誤謬《ごびゅう》」を犯している。

進化論は一つじゃない

進化論は、いつから女性と不都合な仲になったのだろう？　進化論がフェミニズムの大々的な批判を受けはじめたのは、進化論の創始者チャールズ・ダーウィンが『種の起源』を発表してから約150年が過ぎた2000年代はじめだ。米国の進化生物学者ランディ・ソーンヒルと人類学者クレイグ・パーマーによる『人はなぜレイプするのか——進化生物学が解き明かす』は、男性が女性をレイプする理由を、繁殖と性欲といった男性の性的な《セクシュアル》動機のみから説明した。[2]　彼らはレイプを男女の社会的地位から説明する理論を激しく批判し、進化論対フェミニズムの論争に火をつけたのだ。

進化論でレイプを説明しようとする試みは、1970年代後半にはじめて登場した。[3] 進化論者たちは、メスがセックス・パートナーを選択するとき、オスよりも気難しい行動を見せる点に関心を見せた。メスは子どもを産み育てる際に、オスよりもはるかにたくさんの時間やエネルギーを使った。哺乳類のメスとオスから観察されたそれぞれの特徴は、メスとオスの性的行動の違いを説明するのに用いられた。例えば、オスは可妊期のメスとどれくらい性関係を結ぶのかによって繁殖の成功率が変わってくるため、複数のメスと無分別に性的行動をとる。一方のメスは、よい遺伝子のみならず子どもを産み育てる過程で物的・心理的資源が必要なため、これを提供できるオスを慎重に選ぶ。こうした雌雄の交尾における性向の違いから、オスはメスと関係を結ぶのに武力を使用するようになる。これが、レイプに関する進化論仮説のうちの一つである「適応仮説」だ。

一方、レイプを別の視点から説明しようとする試みもあった。「副産物仮説」は、レイ

2　Randy Thornhill & Craig T. Palmer, *A Natural History of Rape: Biological Bases of Sexual Coercion* (MIT press, 2001).〔邦訳は『人はなぜレイプするのか——進化生物学が解き明かす』望月弘子＝訳、青灯社、2006年〕

3　Griet Vandermassen, "Evolution and Rape: A Feminist Darwinian Perspective," *Sex Roles* Vol.64 no.9-10 (2011), pp.732-747.

プと無関係なメカニズムが作動した結果、その副産物としてレイプが現れるとするものだ。この仮説は、レイプと進化だけを説明する独立的なメカニズムは存在しないとみなす。例えば、哺乳類の雌雄から、繁殖と養育のために性欲をコントロールするメカニズムが現れる。これとは別に、生き残るためだったり別の何らかの理由で他人の行動を強制しようとしたりするメカニズムが進化する。性欲を抑えずに強制的に性的関係を結ぼうとする行為は、二つのメカニズムの副産物として発生しうるというのだ。

一見しただけでは、レイプに関する進化論の観点とフェミニズムの観点は両立できないように思える。動物の観察結果から導かれたレイプの生物学的な動機と、人間社会の男性権力を批判するために提示されたレイプの社会的な動機が共存できるだろうか？　驚くことに、この二つの動機を共に考慮した説明は、実はレイプについての科学的説明が登場した初期から存在していた。[4] 副産物仮説をはじめに提示したアメリカの人類学者ドナルド・サイモンズは、性欲と権力の関連性を強調し、権力もレイプの動機になりえると言った。同じくアメリカの進化生物学者ウィリアム・シールズとリー・シールズは、交尾に失敗するなど性的関係の経験が少ない男性が主にレイプをするという既存の説明を覆し、すべての男性にレイプをする可能性があると主張した。繁殖の成功とは無関係な怒りや敵対心という要素が、レイプの原因になりうると考えたからだ。

これと似たような時期に、フェミニスト進化論者たちは、生物学的要因と社会的要因を調べ、男性のレイプに関する説明の統合を試みた。[5] アメリカの進化論者バーバラ・スマッツは、ほかの霊長類社会に比べてヒト社会では、男性が女性の性愛活動——例えば相手が自分以外の男性と関係を結ぶ行為——を統制しようとする傾向がより極端に表れる点を指摘した。これはヒトが、ほかの種よりも男性連合が強く、女性連合が弱いためだという仮説につながる。男性連合が強いというのは、すべての男性が女性を相手に単一の結束を成す、という意味ではない。父系社会で女性は自身の親族やほかの女性たちと安定した関係を結ぶことが難しい反面、男性はいつも資源と地位を得ようとする男性対男性の競争状態にある。そのため、そこから位階制《ヒエラルヒー》型の集団が形成され、強化される。男性間の競争およびヒエラルヒー構造では、女性を統制することとイコール男性の能力とみなされ、女性の性的な自律性は制限される。スマッツは、男性が女性の行動を統制する度合いは、男性がほかの男性の行動を統制しようとする度合いと比例関係にあると判断した。

結局のところ、進化論がレイプを男性の性欲や男性の本能でのみ説明しているという誤

4　Ibid.
5　Ibid.

解は、進化論自体の問題というよりも『人はなぜレイプするのか』のせいであるところが大きい。[6] ソーンヒルとパーマーは、怒りや敵対心をレイプの主な動機とみなしたり、レイプの原因を男性中心の権力構造と結びつけたりする進化論者の主張を紹介しなかった。レイプに関する社会科学的な説明を意図的に排除し、非難することで、多くの人が進化論を不必要に誤解するように導いたと言えるだろう。

進化論の傍らを守ったフェミニストたち

女性は、進化論の古くからの友であり、批判者だ。あまり知られていないが、ダーウィンの研究活動と進化論の伝播《でんぱ》には、女性がかなり大きな役割を占めた。[7] ダーウィンに動植物や子どもたちについて観察した内容を伝え、直接集めた標本を送った人たちの大部分は、周辺の女性たちだった。彼女たちはいくつもの花の雄しべを比較したものを手紙にしたためて送ったり、金属の容器に苔《こけ》を敷いて標本が損なわれないように花の標本を送ったりもした。1859年に刊行になった『種の起源』をフランス語にはじめて訳し、その訳書に自分だけの論評を掲載して有名になったクレマンス・ロワイエも女性だ。[8]

ダーウィンと同時代を生きたダーウィン主義《ダーウィニアン》フェミニストたちは、進化論を受け入れる一方で、フェミニズムの視点からこれを論評して再解釈した。[9]１８７５年、アメリカの自由主義《リベラル》フェミニスト、アントワネット・ブラックウェルは、最初のダーウィンに向けた批判書である『自然界における両性――雌雄の進化と男女の教育論』を発表した[10]（邦訳は小川眞里子＋飯島亜衣＝訳、法政大学出版局、２０１０年）。ここでブラックウェルは、男女は「自然選択」を経て違いを持つよう進化したが、その価値は同等だという主張を展開し、ダーウィンの進化論を女性参政権の擁護に活用した。

それから一世紀が過ぎた１９９０年代は、バーバラ・スマッツ、パトリシア・ゴワティ、サラ・ハーディなど、現代のフェミニスト進化論者の活躍が目覚ましかった。彼女たちは進化論の男性中心性を指摘するだけでなく、遺伝子概念に重点が置かれた進化論の

6　Ibid.
7　Sarah S. Richardson, "Darwin and the women," *Nature* Vol.509 no.7501 (2014), p.424; Joy Harvey, "Darwin's 'Angels': the Women Correspondents of Charles Darwin," *Intellectual History Review* Vol.19 no.2 (2009), pp.197-210
8　Joy Harvey, Op. cit.
9　S. Pearl Brilmyer, "Darwinian Feminisms," *Gender Matter*, Stacy Alaimo (ed.) (MI: Macmillan Reference USA, 2017), pp.19-34.
10　オ・ヒョンミ「フェミニズムにおける〝ダーウィン効果〟――進化論に関する第一波フェミニストたちの批判的受容」『フェミニズム研究』第17巻2号、２０１７年、47～92頁［韓国］

生物学的要因を多彩に発展させた。ゴワティは自然選択をどんな遺伝子が保存されるのかの問題として捉える伝統的な観点、すなわち「遺伝子決定論」の観点から脱却し、遺伝子と環境の相互作用という観点から遺伝子の発現を調べようと提案した。[11]

長いあいだ霊長類を研究してきた進化生物学者であり人類学者のサラ・ハーディは、ダーウィン進化論が描いた貞淑で自己犠牲的な母親像を拒否し、女性とメスの特性を新たに提示する。[12]

ハーディは自然に存在する母親は、育児にのみ献身的な母親であるということはなく、働く母親なのだと語る。現代の大勢の働く母親を苦しめる「母性」対「野心」という葛藤は、母性を女性の本能とみなし、出世への野心を男性の本能と規定する近代の規範のせいで起きたものだと主張したのだ。

ハーディは女性の養育行為を説明するのに、究極のケアや献身といった女性的な特徴ではなく、むしろ綿密な戦略や起業家精神といったいわゆる男性的な特徴をあげている。これは働く女性に限った話ではない。子どもの性質を早くから把握し、進学プランを立て、進路を主導する韓国の母親たちを見ていると、私たちは子どものためにわき目もふらずに犠牲になる女性像ではなく、緻密な戦略家か野心的な起業家の姿を思い浮かべることだろう。

過去のダーウィン主義《ダーウィニアン》フェミニストと昨今のフェミニスト進化論者たちは、進化論との結合が互いにとって有用な資源になりうるとわかっていた。進化論が発見した知識は、家父長制のイデオロギーに反論する強力な証拠として、フェミニストによる政治活動の資源になりうるだろう。一方のフェミニズムは、進化論研究が男女と人間社会の可能性を制限する決定論の論理に誤用されないように、学界《アカデミア》と現実とのあいだでバランスを取ってくれるだろう。

フェミニストよ、生物学フォビアから抜け出そう

レイプは進化の産物なのか、それとも男性中心社会の産物なのか？　進化論の歴史はこうした質問そのものが、もはや有効ではないと教えてくれる。レイプの進化を説明しようとした進化論のいくつかの仮説が、その早い段階から男性中心社会について言及したり、

11　S. Pearl Brilmyer, Op. cit.
12　サラ・ブラファー・ハーディ『母親の誕生』ファン・ヒソン＝訳、サイエンスブックス、2010年〔韓国〕〔邦訳は『マザー・ネイチャー（上・下）――「母親」はいかにヒトを進化させたか』早川書房、塩原通緒＝訳、早川書房、2005年〕

あるいは言及できるようになったりしてきているからだ。これからは、社会的要因に関する説明と両立可能な進化論の仮説をどんどん出していこう。進化論は、さまざまな社会現象を説明するのに必要かつ効果的な仮説を立てて、これを検証する際の武器としても使えるはずだ。大勢の先駆者がそうだったように、これからもっとたくさんの女性が進化論の友だちであり、批判者になれる。

レイプを生物学の問題として捉えようという提案は、レイプを男性の本能と認めようという主張とは異なる。それはレイプを防ぐために、身体的介入を考慮しようという主張へもつながってしまう。だからといって、進化論はレイプを正当化していると心配する人たちのことを、事実と価値を混同した愚かな人たちだとバカにするのもまた違う。現実は、事実と価値の問題がきれいに分離されているというよりは、それらが混ざりあっているものだ。そうであればこそ、レイプの進化論は、性暴力を恐れる女性を守ろうという目的を積極的に追求するべきだ。

フェミニズムはすでに科学を変化させたし、制限はあるにせよ、科学とさまざまな接点をつくりもしてきた。もっとできることはないだろうか？　フェミニズムが生物学の枠を超えてほかの科学分野と出合ったら、女性が経験する体の問題からほかの生物や自然、あるいは物質まで観点を広げられるだろう。生物学の影響力と生物学的実体（生命システム）

を認め、科学を積極的に使用するフェミニズムと、「生物学的実在を認めたらおしまいだ」という態度にとどまっているフェミニズムとでは、明らかに大きな差がある。フェミニストは、生物学を拒否する姿勢から抜け出せる。

10章

フェミニズム物理学の挑戦

私たちがマスコミあるいは書店などでまず触れる科学分野は、やはり物理学だ。科学分野の古典であるヴェルナー・ハイゼンベルクの『部分と全体』(邦訳は山崎和夫＝訳、みすず書房、1999年)はもちろん、『キム・サンウクの量子学習』(未邦訳、キム・サンウクは韓国の物理学者)やカルロ・ロヴェッリの『時間は存在しない』(邦訳は冨永星＝訳、NHK出版、2019年)といった教養科学書のベストセラーは、量子力学という物理学の細部のテーマを扱っている。科学の教科目を学ぶ順序は「物・科・生・地」(物理・科学・生物・地学のこと)で、大学の自然科学部にどんな専攻があるのかを調べるときも、真っ先に物理学科を思い浮かべる。

それでは、科学研究を代表する専攻ともいえる「物理学」は、性差別的だろうか？　とんでもない質問だ、と拒否感を覚える人もいるかもしれない。

生物学とフェミニズムが愛憎関係を続けてきたのに対して、物理学が社会の性差別的な構造に影響を与え、その知識にジェンダー・バイアスが反映されていると考える人は、あまりいないだろう。〔物理学の歴史は〕染色体や脳など人体に関する医学研究や、進化論のような生物学の理論が社会的なジェンダー認識と影響を与え合ってきた歴史とは対照的だと。性差別を正当化しようとする際に物理学の法則が動員されるケースはほとんどなく、女性への偏見が物理学の理論に影響を与えた印象的な前例もなかなか見当たらない。つまり、物理学はフェミニズムと距離があるように思われる。

物理学の超然さ

物理学の知識についての認識が、生物学および医学の場合と異なる理由は、科学内の位階《ヒエラルヒー》に糸口を見つけられるだろう。科学を巨大なはしごに喩えると、一番下には心理学、考古学、人類学などの人文・社会科学が、真ん中あたりには生物学や医学が、その上には科学や地球科学が配置されるだろう。そして物理学、天文学、数学などは、はしごのてっぺん近くに配置される。はしごのてっぺんに近づくほど、一般的には社会的な影響をあまり受けない科学だとみなされる。

ときに科学は、社会的価値と無関係であればあるほど、真の科学であると思われてきた。理論的で定量的で、科学以外の要素に対して超然としている学問だからこそ、科学の精髄に近い。そう思われている。であるならば、科学を批評しようとするときに、物理学は性差別的なのかを調べることは、ことさら重要になってくるだろう。というのも、科学のはしごのてっぺんで通用しない科学批評は、事実上、力を持てないからだ。

　フェミニスト科学論者たちは、批評すべき地点がどこなのかを正確に理解していた。カリフォルニア州立大学の名誉教授でフェミニスト科学哲学者のサンドラ・ハーディングは、物理学は科学の精髄だという命題に挑戦する。[1] ハーディングは、物理学の概念と仮定に社会的解釈は必要ないとするのは誤解だと指摘する。例えば、「1＋1＝2」という数式の意味は「1」、「＋」、「＝」という記号がわからないと理解できない。このとき、記号の「＋」と「＝」を「足す《プラス》」と「イコール」だと理解するのは、特定の記号に対する社会的規範が作用した結果であり、これは数字の「1」についても同様である。

　私たちが近代物理学という特定の理論体系に従うのは、世界の姿が実際にそうなっているからではない。哲学の一領域から始まった自然科学は、数学という道具を手に入れ、自

1　Sandra G. Harding, *The Science Question in Feminism* (Cornell University Press, 1986).

然を機械として概念化する作業を経て近代物理学として生まれ変わった。もし、自然を一つの機械と見る視点〔「機械論的自然観」〕が人々のあいだに共有されていなかったら、近代物理学は世界を説明する理論として受け入れられなかっただろう。自然についての科学的な説明が、真実の知識として受け入れられるためには、人々のあいだでまず社会的になじみのある、合意された自然の像《イメージ》がなければならない。

ハーディングは、物理学の命題は、生物学や社会科学の命題よりも複雑ではないと見た。人間と社会の影響から完全に自由な天体運動、電子の運動を思い浮かべてみよう。物理学が人間の省察や意図に影響を受けない物体の運動を研究する学問であるならば、反対に、物理学理論は人間の意図的行為については話せることが少ない、ということになる。物理学には、人間が明白な意図をもって行うことや衝動的で非合理的な行動をすべて説明することはできない。

こうしてみると、一般的な通念とは異なり、社会的価値の影響を受けない科学であればあるほど、その説得力はより制限されるという意味になる。科学のはしごをひっくり返す、発想の転換。カリフォルニア大学物理学科の名誉教授バーバラ・ウィッテンもまた、科学においては物理学こそ根源的な科学だという世間の思い込みの土台には、物質を構成する基本要素を研究する分野こそもっとも根源的であり優れた科学だという前提があるのだと指摘した。[2]

科学のはしごにおいて、物理学が高い位置を占めた背景には何があるのだろうか？ハーディングは、物理学の権威は1920年代後半に結成された哲学者と科学者の集まりである「ウィーン学団」の活動から始まったと説明する。[3]「すべての科学は究極的に物理学という一つの理論に還元される」。この時代、こうした彼らの綱領が、ヨーロッパやアメリカ全域に積極的に広がっていったからだ。スタンフォード大学の科学史教授ロンダ・シービンガーは、アメリカが核兵器を利用して第二次世界大戦で勝利をおさめた結果、それに寄与した物理学が今のような地位に上りつめたのだと分析する。[4] 物理学の権威は、物理学の本質的な属性ではなく、100年余りにわたる歴史的、社会的な流れによってつくられたものなのだ。

2　Barbara L. Whitten, "What Physics Is Fundamental Physics? Feminist Implications of Physicists' Debate over the Superconducting Supercollider," *NWSA Journal* Vol.8 no.2 (1996), pp.1-16.

3　Sandra G. Harding, Op. cit.

4　Londa Schiebinger, *Has Feminism Changed Science?* (Harvard Unibresity, 2001).〔邦訳は『ジェンダーは科学を変える!?――医学・霊長類学から物理学・数学まで』小川眞里子＋外山浩明＋東川佐枝美＝訳、工作舎、2002年〕

物理学界の無関心さ

「物理学は男が発明したものだ」。2018年9月、ピサ大学の物理学科教授アレッサンドロ・ストルミアは、欧州原子核研究機構（CERN）のワークショップ「高エネルギー理論とジェンダー」の発表内で、科学界のジェンダー平等を要求する女性たちを、実力もないくせに要求ばかりする存在だと評した。彼は激しい批判を浴び、CERNの客員教授の職を剝奪された。[5]

物理学の知識が社会的価値に無関心なイメージなのとは対称的に、その知識がつくられた現場はジェンダー差別と無関係ではない。2017年、アメリカの大学の学部課程で物理学を専攻する女子学生455人を調査した結果、その74・3％が、学校に通っているときに少なくとも一度以上のセクシュアル・ハラスメントを経験したことがあると答えた。[6]

なによりも物理学は、数学、天文学と並んで女性科学者の比率がもっとも低い分野として知られている。2019年の調査では、ソウル大学物理天文学部全体の学生のうち、女子学生の比率は7％で、36％の生命科学部よりもずっと低かった。物理学の専任教授50人のうち、女性はたった2人にすぎず、自然科学系の学部のなかでは最下位を記録した。[7]

2018年、国際科学学術誌『プラスワン』に掲載された研究によれば、理工系学会誌

６０００誌あまりに寄せられた論文１００万編を分析した結果、物理学論文で責任著者として名前のあがった女性学者の比率は13％であり、ほかの分野よりもかなり低かった。[8] 責任著者は主に経歴の長い研究者が担当するが、この論文によれば、物理学分野で毎年女性の責任著者が増加した比率から推定するに、性比の不均衡が解消されるまでにはあと２５８年かかる見通しだという。

デンマークの教育人類学者カトリーヌ・ハッセは、物理学の良識が男性化していると指摘する。[9] 彼女のいう科学〔物理学〕の良識とは、特定科学を教育し、研究するのに用いら

5 "'Physics was built by men': Cern suspends scientist over remarks", *The Guardian*, October 1, 2018.

6 Lauren M. Aycock, et al., "Sexual harassment reported by undergraduate female physicists," *Physical Review Physics Education Research* Vol.15 no.1 (2019).

7 『ソウル大学多様性報告書２０１９』ソウル大学多様性委員会、２０２０年〔韓国〕

8 Luke Holman, Devi Stuart-Fox, & Cindy E. Hauser, "The gender gap in science: How long until women are equally represented?," *PLoS Biology* Vol.16 no.4 (2018).

9 Cathrine Hasse, "Gender Diversity in Play With Physics: The Problem of Premises for Participation in Activities," *Mind, Culture, and Activity* Vol.9 no.4 (2002), pp.250-269; "Learning physical space: The social designation of institutional culture," *Folk, Journal of the Danish Ethnographic Society* Vol.44 (2002), pp.171-194.

れる感情や想像力、経験などを指す。物理学や学部教育の現場を研究したハッセは、男子学生たちは授業中に、女子学生たちよりも授業を邪魔するような冗談や悪ふざけをたくさんするが、たいがいその行動は許されていると分析した。教授の意図に逆らうような男子学生たちは、礼儀がなく、勉学の雰囲気を壊すといって咎《とが》められるのではなく、むしろクリエイティブで実験的な人、もっと言えば将来有名な物理学者になる潜在的特性を持った人物と思われる。男子学生たちのこうした突発的な行動が物理学科の中心文化《メインカルチャー》になるのなら、授業そのものに集中しているほとんどの女子学生たちは、自分の能力と物理学者としての進路に疑問を抱いてアカデミアから離れてしまうかもしれない。

そうであれば、男性中心の物理学の良識は、物理学の知識にどんな影響を及ぼすだろうか？　もちろん、物理学の良識そのものが、物理学の知識ではない。しかし、なんらかの科学理論や仮説を評価するとき、その理論を発表した科学者が追及する価値や選好、同僚の科学者たちとの関係性など、一見知識とは無関係に見える要素が〔その理論や仮説に〕影響を与える。スワースモア大学物理天文学科教授エイミー・バグは、孤独な探究者のイメージで描かれる物理学者もまた、やはり同じ科学者共同体《コミュニティ》の一員なのだと強調する。[10]

物理学界の性比の不均衡と物理学の知識との関係については、まだ具体的に解明されたものは多くない。けれども、今まで物理学界において女性が少数であるという現象が、科学政策の問題としてのみ考慮されてきただけで、知識の問題として扱われてこなかったことは確かだ。これは、「もしもアインシュタインが女だったら、相対性理論は変わっていただろうか」といった疑問への答えを探す話ではない。科学者の性別と科学者の良識、科学知識の関係は、そんなに単純なものではないのだ。この複雑な関係を理解するためにも、物理学とフェミニズムは結合すべきである。

よりよい物理学を目指して

物理学とフェミニズムの結合は、今まで物理学が経験してこなかった問いを投げかける。物理学と社会の関係、物理学と軍事技術の関係、物理学界の研究者集団の構成および教育・資源配分についての質問など、新たな結節点はいくらでもある。

例えば、ウィッテンは次のようなフェミニスト物理学プロジェクトが可能だと提案した。[11]〔それは、物理学の〕知識においてテーマと対象とを分離して考える二分法に挑むプロ

10　Amy Bug, "Has Feminism Changed Physics?," *Signs: Journal of Women in Culture and Society* Vol.28 no.3 (2003), pp.881-899.

ジェクト、物理学をより還元主義的ではない方法で再概念化するプロジェクト、物理学で地域や社会の問題を解決するプロジェクト、物理学をとりまく社会的・政治的文脈を研究するプロジェクト、物理学界の多様性を改善するプロジェクト、物理学教育を変化させるプロジェクトなどだ。こうしたプロジェクトの核心は、物理学界の性比の不均衡と物理学の男性的な様式《スタイル》を、学問の本質とは無関係だとは決してみなさない点にある。

カリフォルニア州立大学サンタクルーズ校でフェミニズム理論を教えるカレン・バラッド教授は、知識の主体と対象とを二分法的に区分する既存の体系に挑み、フェミニスト物理学プロジェクトを進めてきたフェミニズム理論家であり理論物理学者である。バラッドは、量子物理学者ニールス・ボーアの量子力学解析をもとに、これをフェミニズムで再解釈する前例なき試みに挑戦した。[12] あるものを見るためには光が必要だ。しかし、量子力学で光と物体が相互作用するとき、光は波動ではなく運動量をもった粒子として存在するため、観察のいかんによって物体の運動も変わってくる。彼女は、観察対象と測定装置の相互作用に注目したボアの解析を拡張し、観察対象と測定装置、そして人間の観察者を、互いに分離した個別の存在ではなく、一つに絡み合った一つの現象として見るべきだと強調する。

バラッドの研究における実験物理学者とは、自然をありのままに見る純粋な観察者などではない。実験物理学研究とは、高度な訓練を受けた物理学者が複雑な測定装置を考案し、繰り返される実験を経てその装置のエラーやノイズを補正し、装置で記録されたデータを分析していくという一連の行為から成り立っている。物理学者は研究過程を観察するあいだ、絶えず選択し、それぞれの段階で選択したことの結果を観測し、そのうえでようやく現象を決定づける。物理学者のジェンダーと価値観、研究遂行に関する良識が、研究の過程で何を選択するかに影響を与えることを認めるならば、こうした要素が物理学の知識の問題でもあることは否定しがたい。

物理学は性差別的だろうか？　エイミー・バグは、それに答える代わりに別の問いを投げかける。「現在の物理学は、人類がつくりだせる最高の物理学だろうか？」最高の物理学がどんな姿なのか、今はまだわからない。フェミニスト科学者であるサラ・フランクリンは、理論ではなく、実験室で実際の細胞核をはじめてその目で観察した瞬間を次のよう

11　Barbara L. Whitten, "(Baby) Steps toward feminist physics," *Journal of Women and Minorities in Science and Engineering* Vol.18 no.2 (2012), pp.115-134

12　Karen Barad, *Meeting the Universe Halfway: Quantum Physics and the Entanglement of Matter and Meaning* (Duke university Press, 2007).〔邦訳は『宇宙の途上で出会う――量子物理学からみる物質と意味のもつれ』水田博子＋南菜緒子＋南晃＝訳、人文書院、２０２３年〕

に説明している。顕微鏡の角度を変えながら、あれこれ苦心しながら観察したそのあとに、ついに細胞核が姿を現したが、その実情は、自分が最初に想像し、期待していたものとはまったく違ったと。[13] 現代のフェミニスト思想を代表する哲学者の一人ジュディス・バトラーが強調するように、反復的な行為遂行性《パフォーマティビティ》は重要だ。[14] 理論や宣言ではなく、繰り返される無数の実践こそが、新しい物理学をつくっていく。フェミニズムと物理学のさまざまな結合がときには失敗し、ときには確信を得る過程で、私たちは少なくとも今とは異なる、今よりもっと優れた物理学を見つけられるはずだ。

バラッドは、実際に理論と現実の両方でそうした実践を実際に繰り返す物理学者だ。彼女は、物理学の教育が意味や理解よりも楽しみや責任回避のほうに傾いているとし、こうした教育が、物理学分野の男性中心的な文化《カルチャー》と結びついていると指摘した。[15] 彼女は自身が所属しているカリフォルニア州立大学で、科学と正義を研究する集まりと大学院プログラムを開設し、社会的責任を重要な研究上の目的の一つと考える物理学者を養成している。[16]

物理学界が今のように男性だけで埋め尽くされ、固定された研究方法でこのまま発展していけば、私たちは「最高の物理学」を想像することすらできないだろう。これまでは、授業の邪魔をする男子学生たちのふざけた行動が、根拠もないままユニークな物理学者の特徴と思われていたとするなら、これからは、物理学の知識とは無関係に思われてきた様式《スタイル》にこそ、物理学を変えていく可能性を見いだせるのではないだろうか。

13 Sarah Franklin, "Re-thinking nature-culture: Anthropology and the new genetics," *Anthropological Theory* Vol. 3 no.1 (2003), pp.65-85.

14 Judith Butler, *Gender Trouble: Feminism and the Subversion of Identity* (Routledge, 1990); ジュディス・バトラー『ジェンダー・トラブル』チョ・ヒョンジュン＝訳、文学トンネ、２００８年［韓国］〔邦訳は『ジェンダー・トラブル　新装版――フェミニズムとアイデンティティの攪乱』竹村和子＝訳、青土社、２０１８年〕

15 Londa Schiebinger, Op. cit.

16 Malou Juelskjær & Nete Schwennesen, "Intra-active entanglements: An interview with Karen Barad," *Kvinder, Køn & Forskning* Vol.1-2 (2012), pp.10-23.

11章

21世紀サイボーグの現状

人間の体に機械が結合した「サイボーグ」（生命体／有機体（organ）と自動制御系に関する理論（cybernetic）の合成語「サイバネティック・オーガニズム」の略）は、SF作品に登場する仮想の存在にすぎないと思われてきた。ところが、「技術と結合した生命体」という広い意味で見ると、（歯が欠けたり歯を失ったりした場合に行われる）補綴《ほてつ》治療した歯で食べ物を食べる人、（白内障で濁った水晶体を取り除き、人工のレンズを代わりに移植する）眼内レンズ挿入術で視力が回復した人、整形手術でけがした顔を治した人たちも、みなサイボーグだ。生まれてから死ぬまで、医療技術と無関係な現代人というのはほとんどいない。ゆえに、21世紀を生きる私たちは、みなサイボーグといっても過言ではない。

サイボーグは女性と現代技術をつなぐ象徴といえる。1985年、アメリカのフェミニスト科学技術論者ダナ・ハラウェイは、女性と技術は新たな関係を結べるという主張を発表した――「サイボーグ宣言」だ。[1] 科学技術の有する男性性に対する批判にとどまらず、女性と技術についての認識論的転換を追求したハラウェイの宣言文は、学問分野を超えて大きな影響を及ぼした。発表から40年ほど経った今も、それぞれの需要と動機に応じて体を変形させる技術を前にした21世紀の女性たちに、重要なメッセージを伝えている。

技術を恐れない女性

「サイボーグ宣言」は発表されてすぐに注目を集めた。当時のアメリカ社会で通用していたサイボーグのイメージを、完全に覆す内容だったからだ。サイボーグという概念は、1960年、アメリカのエンジニア、マンフレッド・クラインズと医師ネイサン・クラインの論文「サイボーグと宇宙」で、地球とは異なる環境でも生存できる宇宙人を意味する言葉としてはじめて登場した。[2] その後、同国でサイボーグは、先端科学技術を象徴する存在として大衆化した。

1970年代半ばには、超人的な能力を持つ男性サイボーグが主人公のテレビドラマ『600万ドルの男』が高い人気を博した。1970～1980年代には、冷戦の道具となった科学技術に対する敵対心や近代性《モダニティ》への疑問が——進歩陣営を中心に——強力に広がっていった時期でもあった。「20世紀後半の科学、技術、社会主義フェミニズム」という「サイボーグ宣言」の副題は、こうした時代的な文脈を反映している。20世紀後半、人々の科学技術についての反応は、熱狂あるいは拒否の二つに分かれ、社会主義フェミニズムは後者に属した。

「サイボーグ宣言」は、社会主義フェミニストでもあるハラウェイが冷戦科学の産物であり、男性的な技術の象徴であるサイボーグを無条件に批判していないという点で、新鮮な衝撃を与えた。ハラウェイは、技術が女性を支配しもするが、女性が技術を通じて解放されもするという、技術の両面性に注目したからだ。女性の体に男性的な技術が結合した結果物であるサイボーグは、純粋とはいえない。この不純さのせいでサイボーグは、結局の

1　Donna Haraway, "A Cyborg Manifesto: Science, Technology, and Socialist-Feminism in the Late Twentieth Century," *Simians, Cyborgs and Women: The Reinvention of Nature* (Routledge, 1991), pp.149-181. 1985年版は*Socialist Review* Vol.80に掲載された。ダナ・ハラウェイ「サイボーグ宣言——20世紀後半の科学、技術、社会主義フェミニズム」『ハラウェイ宣言文』ファン・ヒソン＝訳、チェクセサン、2019年［韓国］〔邦訳は『猿と女とサイボーグ　新装版——自然の再発明』高橋さきの＝訳、青土社、2017年所収〕。

2　Manfred E. Clynes & Nathan S. Kline, "Cyborgs and space," *Astronautics* (1960).

ところ自らの起源を裏切ることになる。

そう、「サイボーグ宣言」のキーワードは「矛盾」である。ハラウェイは冷戦に服務する宇宙戦士の象徴たるサイボーグを、技術との結合を恐れない女性の象徴へと変えた。女性は、科学技術に忠実であると同時に、裏切ることもありうる矛盾した戦略を選べるのだと。こうした戦略は、抑圧あるいは解放の言語で語られてきた女性と技術の硬直的関係を覆す可能性を開いた。女性が技術を変化させる主体になれるという認識は、技術の消費と生産に対する女性の積極的な介入をうながしたのだ。

20世紀サイボーグによる整形手術パフォーマンス

ハラウェイの宣言は、発表から数十年が経った今も、大勢の学者によって解釈され続けている。サイボーグという象徴とその解釈にインスピレーションを受けた作家たちは、作品内でさまざまなサイボーグを誕生させてきた。なかでもフランスのパフォーマンスアーティスト、オルランの整形手術パフォーマンスは特に印象的だ。

オルランは、1990年から1993年までに、9回の整形手術を受けた。自分の体を使って家父長制的な美の規範へと挑戦する、パフォーマンスアートのために。《聖オルランの再受肉》という作品で、彼女はレオナルド・ダ・ヴィンチ、サンドロ・ボッティチェリ、ギュスターヴ・モローといった西洋美術家の巨匠が残した名画の女性の額、鼻、首などを部位別に模倣するための手術を受けた。過去の美の規範に合わせて変形させた彼女の顔は、典型的な美とはかけ離れていた。こめかみに入れたプロテーゼ〔人工の軟骨〕のせいで、彼女はまるで角《つの》をつけた怪物のように見えた。

オルランは、整形手術を受ける過程をもアートの一部として扱った。普通、整形手術といえば、手術を受ける人が医療行為の対象として手術台に横たわるイメージが思い浮かぶ。オルランは、このすべての過程を事前に計画し、映像に収めた。手術の途中、最後の晩餐《ばんさん》でイエスが弟子たちに向けた言葉――「取りなさい、これは私の体である」、「これは私の血である」――をパロディして、「これは私の身体」、「これが私のソフトウェアである」と宣言したりもした。自らの体と共に整形技術までをも主体的にコントロールする、堂々たる女性の姿だ。

ハラウェイが冷戦期のアメリカとソ連の宇宙戦争の過程で生まれたサイボーグをフェミニズムの主体として占有したように、オルランは、女性の体を対象化し、画一的な美を強要する整形手術をフェミニズムによって活用した。一般的な整形手術が、あたかも手術をしていないような自然な美を追求するのに対して、オルランはその過程を公開することで、見えない整形手術に真正面から挑戦した。意図的にグロテスクな顔を選択し、人々が美しいと思わない怪物になることで、整形手術を家父長制的な美を実現するための道具ではなく、フェミニスト美学の道具として用いたのだ。オルランのパフォーマンスは、「スキル、それも機械のスキルを目一杯楽しむことは、もはや罪ではなく、事物が具体的なかたちをとる過程の一つの側面となった」という「サイボーグ宣言」の一節をそのまま実現したものと言えるだろう。[3]

一方、最近のフェミニスト科学技術論者たちは、これまでハラウェイのサイボーグ概念は、現実には存在しがたいレベルで開放的であり、また超越的な存在として想像されてきたと指摘する。新唯物論フェミニストであり環境人文学者のステイシー・アラモは、サイボーグとは虚構の存在などではなく、サイボーグという象徴が強調する科学と女性の境界の超え方を理解するには、この二つをつなぐ実際的な物質《マテリアル》を見るべきだと強調した。[4]「サイボーグ宣言」は、女性は生物学的な束縛から脱却し、真に望む体を手に入れよ、という呪文にとどまるものではない。特に、女性の体に結合する技術が一般化した21世紀韓国社会では、その意味が新たに注目される必要がある。

整形大国韓国の現実

韓国は世界的にも有名な整形大国だ。2012年、国際美容外科学会は、人口1万人当たりの整形施術件数において、韓国が世界第1位だったと報告した。整形外科専門医の数も人口3800人に1人と、世界でもっとも多かった。[5] 韓流ブームにより、韓国のハイレベルな整形技術が広く知られるようになり、文化観光以外に医療観光目的で訪れる人たちも増えている。

整形手術の消費者は、その大部分が女性だ。2020年のある調査では、19歳以上の韓国人男女のうち整形手術をしたことのある比率は男性が2％、女性が18％だった。20代と30代女性の整形経験の比率ははるかに高く、それぞれ25％、31％に至った。[6] 21世紀を生き

3　Donna Haraway, Op. cit.〔本文では高橋さきの訳を引用〕
4　Stacy Alaimo, "Cyborg and Ecofeminist Interventions: Challenges for an Environmental Feminism," *Feminist Studies* Vol. 20 no.1 (1994), pp.133-152.
5　ソ・ミョンス「韓国美容整形外科の現在と未来」『大韓医師協会誌』第54巻6号、2011年、581～588頁［韓国］
6　韓国ギャロップ「ギャロップリポート――外見と整形手術についての認識」2020年2月20日［韓国］

る若い韓国女性たちの姿は、20世紀のサイボーグ戦士に似ている。生きづらい環境で生き残ろうと、自ら自分の体を改造するという点においてだ。ハラウェイの宣言文から飛び出てきたような彼女たちは、体と技術の結合を恐れながらも、生まれつきの体、与えられた体に合わせて生きるのではなく、技術の力を借りて望む体を手に入れるほうを選ぶ。

戦争中、顔にひどい傷を負った軍人のために開発された整形手術は、今では女性の顔を美しくするために使われる。ところで、巷《ちまた》では整形手術というと、医師の専門知識や手術技法のことと思われがちだ。地下鉄の駅で見かける整形外科の広告は、ビフォー・アフターで女性の身体に術後どのような変化が起きたかを部位別に比較し、その効果をアピールする。ダイエットやスタイリング・コンサルティングにより出演者の外見を変身《メイクオーバー》させるテレビ番組は、外見に悩む変身前の女性と、変身して芸能人のようにきれいになって喜ぶ女性との劇的な対比を見せつける。こうして大衆文化と結びついた美容整形産業は、ハラウェイの宣言文よりも強力なやり方でもって、女性たちに、技術を選んで生まれつきの体から解放されようとうながす。

しかし、現実のサイボーグは、宣言と選択だけでつくられるわけではない。実際の整形技術は、そのほかの外科手術とさほど変わらないためだ。整形手術には医師のほかに看護士、カウンセラー、病院経営に必要な人力が必要で、手術中や手術前後のカウンセリングはもちろん、回復過程においてもさまざまな医薬品や道具、装備、空間などが必要だ。整形手術を受ける女性がサイボーグになる過程では、正常な体を規定する医学の知識体系や外見至上主義《ルッキズム》にまつわる議論以外にも、その一つ一つに言及してはいられないほどの物質、知識、労働の介入が存在しているとみるべきだ。[7]

整形手術の実際の評価は、このすべての過程を経てやっと確認できるものだ。美容目的であれ、治療目的であれ、あらゆる手術は、手術を受けたひと本来の体で起こる。ハラウェイの〈サイボーグという〉象徴は、まかりまちがうと生物学からの解放や純粋な技術を目指す楽観論として誤解されかねない。だが本来、体と結びつくどんな技術も、体そのものを完全に超えることはできず、人間もまた、技術を完全にコントロールしたり、その結果を予測したりすることはできないのだ。技術を選択しただけでサイボーグになれるわけではない。それは、サイボーグになる長い道のりのスタート地点にすぎない。

7　So Yeon Leem, "The anxious production of beauty: Unruly bodies, surgical anxiety and invisible care," *Social Studies of Science* Vol.46 no.1 (2016), pp.34-55. イム・ソヨン「整形外科に巻き込まれる」『謙虚な目撃者たち』エディトリアル、2021年参考［韓国］

宣言からケアへ

「サイボーグ宣言」の核心である矛盾した戦略は、21世紀を生きる現実のサイボーグにとってもまだ有効だ。整形手術のように、社会的イシューの対象になる技術には、特に必要な戦略といえる。整形手術は、先天的に欠陥のある身体を再建するという倫理的な目的の如何《いかん》によって、「良い整形」と「悪い整形」に簡単に区分されてしまう。女性に厳格な美の基準を求める韓国社会では、整形手術をする女性はすぐに憧れや批判、風刺の対象になる。ところが、その手術の実際の効果となると、実はあまり評価が行われていない。

体と結合する技術の真の効果を確認するには、整形手術をした女性たち「に対する」話ではなく、彼女たち「の」話が必要だ。彼女たちがなぜ手術を選択するに至ったのかという個別の事情に限らず、技術と結合した体を経験してみてどうだったか、術後の人生はどうなのかも聞くべきということだ。サイボーグになった女性たちは知っている。サイボーグとは、技術と体が結合する瞬間に生まれるのではなく、体と絶えず妥協し、交渉し、その体をケアする過程で形成されていくものだということを。抗生剤と鎮痛剤を飲み、むくんだ部位を冷やし、わざわざ枕を高くして、食べ物をミキサーにかけて飲む、そうしたあらゆる労苦を惜しまずにやる経験が、それなのだ。

現実のサイボーグは、技術を使って変化した体に慣れながら生きていくしかない。手術のおかげでよりきれいになったのか、手術の結果に満足できているのか、整形後の人生は幸せか。これらはどれも、変化した体と取り結んだ新たな関係性の結果であり、技術そのものの結果ではない。サイボーグになるという経験は、成功と失敗のうちのどちらか一つを選ぶ客観的な選択問題ではなく、成功と失敗のあいだを揺れ動く、主観式の長い自由記述問題を解く過程に似ている。だからこれは、技術に忠実でありながらも技術に背反する、深い矛盾の話なのだ。

オランダの科学技術論者で医療人類学者のアネマリー・モルは、実際の技術の効果をめぐるサイボーグの話は、現代技術に対するもっとも強力な批判であり、今の技術をよりよいものに改善するための有用な資源だと語る。[8] そして、サイボーグの話は「宣言」ではなく「ケア」の話でもある。ソフトウェアのように、好きに使って上書きできる体の主人として、快感を覚えつつ宣言するものとは異なる。予測することも制御することも不可能

8　Annemarie Mol, *The Body Multiple: Ontology in Medical Practice* (Duke University Press, 2002). アネマリー・モル『ボディ・マルチプル――医療実践における存在論』ソン・ウンジュ＋イム・ソヨン＝訳、クリンビ、2022年〔韓国〕〔邦訳は『多としての身体――医療実践における存在論』浜田明範＋田口陽子＝訳、水声社、2016年〕

で、私のものでありながら私のものではない体に順応したかと思えば、抵抗もする。互いに説得したりもすれば、道具の力を借りて制圧したりもする。〈サイボーグになるとは〉そんな相反するものが入り混じった日常の記録なのだ。ケアの話は、自らの選択だけで体を簡単にコントロールできるはずだと信じている女性たちへの現実的なアドバイスであり、体を変える技術をより安全に、満足度の高いものに改善したいと願う人々にとって欠かせない情報として語られていくだろう。

20世紀に生まれたハラウェイのサイボーグ〈という概念〉は、体と技術の結合を宣言する女性を代弁した。21世紀の〈現実を生きる〉サイボーグは、技術と結合した体をケアする女性を象徴している。サイボーグとして体をケアする女性たちの話が、科学と医学の力を借りた別のサイボーグたちのケアの話と結びつけば、私たち人間は、人類がこれからより一層技術に支配されるかもしれないという幻想にも、あるいは人類が技術を完全に支配できるかもしれないという幻想にも陥ることなく、サイボーグとしての人生を生きていけるだろう。

12章

アントロポセンの危機に立ち向かって

危機と災厄は、女性にはより過酷なものである。厳しい環境で自分以外の存在を助ける仕事は、大概が女性の役割だ。新型コロナウイルスの流行で学校や学童施設が相次いで閉鎖するなか、多くの女性が最後の最後まで持ちこたえて、結局、仕事を辞めていった。キャリアは断絶し、また働けるかどうかわからないリスクを抱えてまでして、子どもの生活や教育の責任をとるのは、だいたいが母親だ。大規模病院や養老施設でクラスタが続出するなか、患者をケアする看護師や看病人もまた、大部分が女性であった。危機にある児童や老人、患者や障害者をケアする責任を幾度も任されてきた女性たちは、人だけではなく、自然をケアする責任までをも負う。

人類と地球を救うのは母親や主婦、女性の役目なのだろうか？　人間がつくった新しい地質時代を意味する人新世《アントロポセン》（anthropocene）は、2000年にノーベル化学賞を受賞したパウル・クルッツェンが提案した造語である。ここ数年のあいだに、気候危機が大きな問題として取り上げられるようになり、そうしたなかで、マスメディアでもときどき使われるようになった言葉。アントロポセンの難題として掲げられている気候危機や生態系の破壊は、科学技術が自然を必要以上に搾取するにつれて深刻さを増していった。

自然と女性の歴史

自然を想像したり表現したりするとき、私たちはすぐに女性のイメージを思い浮かべる。西欧の言語では、自然はだいたい女性名詞であり、自然の豊かさを表すための「母なる大地（Mother Nature）」という慣用句まである。古代神話においても、自然現象には主に女神の名前が付けられた。ギリシャ神話に出てくる大地の女神で万物の母でもある「ガイア」は、1970年代に発表された現代科学理論の表象として再び召還された。イギリスの科学者ジェームズ・ラブロックは、地球を生物と無生物が相互作用しながら自ら変化する一種の有機体（生命体）とみる仮説を提唱し、「ガイア理論」と名づけた。[1]

かつて女神に比肩する崇拝と畏敬の対象だった自然は、近現代を経て、人間のニーズに応じて使用可能な対象として扱われるようになった。一方、家父長制社会の母性イデオロギーは、長いあいだ女性に出産と育児、ケアなどの労働を強いてきた。ガイア理論が発表されたころ、フランスのフェミニスト、フランソワーズ・ドボンヌは、自然（の支配）と女性（の支配）のあいだにある関連性に注目した『フェミニズムか、死か』を出版した。[2]自然と女性を搾取しすぎた結果として、人口過密や生態系の破壊という二重の危機がもたらされたと主張する本書によって、生態学《エコロジー》とフェミニズムが結合した「エコフェミニズム」という用語がはじめて登場した。

アメリカの環境史家キャロリン・マーチャントは、ドボンヌの主張に科学技術に関する分析を付け加えた。１９８０年に刊行になったマーチャントの『自然の死――科学革命と女・エコロジー』は、15世紀から17世紀にかけて、西欧の資本主義と近代科学が自然と女性を道具化し、支配してきた歴史を跡づけている。[3]

近代科学は、自然を分析可能な機械とみなす世界観（機械論的世界観／自然観）を提供し

1　ジェームズ・ラブロック『ガイア』ホン・ウクヒ＝訳、ガラパゴス、２００４年〔韓国〕〔邦訳は『ガイア――地球は生きている』松井孝典＝監修、竹田悦子＝訳、産調出版、２００３年〕

2　最近英語から翻訳・刊行された。Françoise d'Eaubonne, *Feminism or Death: How the Women's Movement Can Save the Planet* (Verso Books, 2022).〔原書は１９７４年に発表された〕

た。自然が内在する力によってではなく、外在する要素によって作動するという発想は、自然を「物質《もの》」とみなし、人間はその作動原理を解き明かすことで操作できるという考え方を生んだ。

機械論的世界観から生じた誤った思い込みは、無分別な自然の開発を正当化し、西欧の資本主義を肥えさせる源泉となった。マーチャントによれば、こうした「自然の死」は、女性の死をともなうものだった。近代科学が芽生えた16〜17世紀、西欧でまだ新生の学問だった科学の支持者たちは、実験という方法論を打ち立てて自然を分析し、操作した。山と大地を切り崩し、鉱石を掘り起こす私たちの産業は、自然をレイプし、地球の子宮を汚染させる行為に喩えられた。近代科学が出現した時期は、女性数万人が魔女裁判で処刑された時期と重なる。自然が科学という名で取り調べを受けたように、数多くの女性たちが動物と交流し、薬草で病を治療したという罪名のもと、拷問されて死んでいった。

これが自然と女性に対する悠久《ゆうきゅう》の搾取の歴史だ。しかしこの歴史は、裏を返せば人類と地球をよみがえらせる潜在力が、ほかでもない女性にあるということを示唆してもいる。エコフェミニズムは語りかける。生命力と創造力を奪われたまま断絶してきた自然と女性が豊かな関係を取り戻すのならば、女性が自然を適切に管理する主体として立ち上がり、私たちの世界を持続可能《サステナブル》なものに変えていける、と。

実際に、エコフェミニズムの主張は20世紀末、環境問題の解決策として受けいれられたこともある。1992年、ブラジルのリオ・デ・ジャネイロでは、地球環境保存と持続可能な開発を論議する「地球サミット」が開かれた。「リオ宣言」は、環境と開発に関する27項目の基本原則から構成されており、そのうちの20番目に「女性が環境管理と開発において重要な役割を有する」という旨が明記されている。[4] これはエコフェミニズムが残したもっとも大きな成果の一つにあげられる。[5]

3　キャロリン・マーチャント『自然の死』チョン・ギュチャン+イ・ユンスク+チョン・ユギョン＝訳、ミト、2005年〔韓国〕〔邦訳は『自然の死――科学革命と女・エコロジー』団まりな+垂水雄二+樋口祐子＝訳、工作舎、1985年〕

4　環境部法令及び政策資料掲示板でリオ宣言全文を確認できる。環境部「環境と開発に関するリオ宣言」2000年11月28日〔韓国〕〔日本の環境省のサイトでも「国連環境開発会議（地球サミット：1992年、リオ・デ・ジャネイロ）環境と開発に関するリオ宣言」が公開されているので参照されたい〕

5　Emma Foster, "Ecofeminism revisited: critical insights on contemporary environmental governance," *Feminist Theory* Vol. 22 no.2 (2021), pp.190-205.

搾取を隠蔽するエコフェミニズム

国際社会における環境問題をめぐる政治において、エコフェミニズムが理論的な資源《リソース》として受け入れられた背景には、1975年にはじめて開かれた国連世界女性会議で採択された「国連婦人の10年」があった。1975年からの10年間を、全世界の女性の権利と機会を増やしていくための時間とし、女性の能力開発に多くの資源を投入するプログラムだ。

しかし、エコフェミニストの主張が国際政治のシステムに比較的容易に編入されたのは、エコフェミニズムが女性に与えた役割と権限が、男性権力にとってさほど脅威ではなかったからという点は否定しがたい。こうした疑念は、エコフェミニズムに対する学問的批判、なかでもフェミニストからの批判によって提起された。現在でも、フェミニストを自認する人のなかには、自然と女性を関連づけるエコフェミニズムの主張を、女性の役割を制限し、男性支配の構造に身をゆだねる幼稚な発想と捉える人が少なくない。伝統的な女性像と母性イデオロギーを強化しかねないエコフェミニストの主張は、女性の本質を生物学的な身体に制限せずに、女性のカテゴリを拡張していこうとしたフェミニズムの基本原理と相入れなかったのだ。そのため、最近に至ってもなお、西欧のフェミニズム理論家の核心的な論議において、エコフェミニズムの姿はあまり見えてこない。

2012年、リオ宣言20周年を記念して以前と同じ場所で開催されたサミット、「リオ＋20（国連持続可能な開発会議）」では、女性の政治的な影響力《プレゼンス》はさほど確認できなかった。開幕式で公開された映像「アントロポセンからようこそ」は、こんな文章で終わる――「私たちは過去をつくり現在をつくり未来をつくることができる」。地球という惑星に及ぼす人間の力を確認するアントロポセンの省察は、過去の過ちを踏襲している。

リオ＋20は、人類が直面した環境問題を、人間がつくりだした問題であると同時に人間が解決できるものとした。そしてその解決策は、科学技術と「グリーン経済」と名づけられた資本主義システムだった。アントロポセンの危機は、伝統的に男性の領域と思われている科学技術と市場経済を通じて克服できるものらしい。科学者やエンジニア、経済学者こそが立ち上がるべき今日《こんにち》の環境問題において、エコフェミニストが介入する余地はそれほどないようだ。

女性の人生と知識がすべてを救う

しかし、生態学者《エコロジスト》と環境主義者たちが重ねて強調しているように、科学技術と市場経済の改善だけで気候危機を克服することは難しい。仮想の二酸化炭素排出権を売買したり、先行き不透明な代替エネルギーを開発したりするだけで、人間がこの惑星の地層に刻んだ巨大な変化を取り戻せるわけがない。気候変動による生態系の攪乱《かくらん》が深刻化すればするほど、自然の問題が女性の性と生殖に関する健康と権利《リプロダクティブ・ヘルス／ライツ》、さらには女性に対する暴力や差別解消の問題と連動していることがより鮮明になってきている。[6] 今こそ、エコフェミニズムを取り戻すときだ。[7]

　エコフェミニズムの生命力を、フェミニズム理論の次元で再解釈してみよう。自然と女性の密接な結びつきを解釈しようとするエコフェミニズムの立場は、そもそも単一ではない。あるエコフェミニストは、生物学的に子どもを妊娠できるという理由で、女性は自然をより尊重する潜在力、あるいは特性を持った存在とみなす。しかし、誰もがこの立場に同意しているわけでもない。特に「社会主義エコフェミニズム」は、社会が強制する性別分業のために、女性と自然の密接な結びつきは、本質的に似ているから与えられたものではなく、資本主義社会の構造によって「つくられた」ものであるという点に力点を置く。[8]

　資本主義社会における自然と女性（の支配形態）の関連性は、再生産労働を担う女性と資源として利用される自然とが、誰かの所有物に転落するその過程において形成される――そこで隠蔽されるのは、そもそもこの二つに依存している男性の姿である。

　1993年、ドイツの社会学者マリア・ミースとインドの物理学者で環境運動家のヴァンダナ・シヴァは、資本主義と帝国主義の搾取を批判し、地球と女性が中心になる世界をつくっていこうと主張した。[9] 二人のエコフェミニストは、抑圧に抵抗する女性の力を、生物学的本質や女性という普遍的カテゴリから抽出しようとはしなかった。女性の力は、インドやアフリカの小さな村、韓国の農村社会のような、自然と共に暮らす地域共同体に固有の経験から出てくる。インドの女性は西欧の伐採企業よりもずっと長いあいだ、森を守りながら木を使ってきた。にもかかわらず、伐採企業がインドの女性の知識を無視して強引に利益を上げようとした結果、災難を招いた。こうした無数の事例は、インドでエコフェミニズムが復活するよいきっかけとなった。エコフェミニズムにおいては、母親も、母なる自然も、簡単に統制されたり支配されたりはしない。

6　女性文化理論研究所『女/性理論』第45号、2021年; Annette Gough & Hilary Whitehouse, "Challenging amnesias: re-collecting feminist new materialism/ecofeminism/climate/education," *Environmental Education Research* Vol.26 no.9-10 (2020), pp.1420-1434.

7　*Feminist ecologies: Changing environments in the Anthropocene*, Lara Stevens, Peta Tait, &Denise Varney (eds.) (Springer, 2017).

8　Emma Foster.

9　マリア・ミース+ヴァンダナ・シヴァ『エコフェミニズム』ソン・ドクク+イ・ナナ=訳、創比、2020年［韓国］

エコフェミニズムの独特な考え方と運動は、女性の問題を生態系の問題と共に考えるという意味で、エコロジーとフェミニズムのすべてと関連し合っている。また、人間と自然との関係を扱うという意味では、人間中心主義と二元論的な思考体系から脱する方法を模索する、国内外のアカデミズムの思想的潮流とも通じ合っている。自然と女性を結びつけるという観点は、人間と自然が相互に依存し合って生きているこの現実を把握し、自然が自ら再生する力を持っていることを理解するための理論的な資源《リソース》として、別の使い方ができるのではないだろうか。

エコフェミニズムにおける科学技術の実践

もしや、科学技術と資本主義を批判するエコフェミニズムが、人間の成し遂げた輝かしい文明に背を向け、自然に回帰しようと漠然と叫んでいるように見えてはいないだろうか？　初期の問題意識には明らかにそういう側面があった。しかし、西欧近代科学の機械論的世界観を徹底して批判したマーチャントも、自然と女性の回復にはローカルな生態系および地域住民の暮らしに合った科学技術が必要だという点は受け入れている。[10]

エコフェミニストにも科学技術は重要だ。現代科学技術の限界は、第一世界の白人男性が主流を成す現在の科学技術者集団が、第三世界の女性および彼女たちとつながった自然をまともに理解できていないという具体的な現実のなかで克服すべきものである。

アメリカの哲学者カレン・ウォレンは、女性およびローカルな観点と結合した科学技術を、エコフェミニズムの重要な実践要素としてあげた。[11] エコフェミニズムの観点から行われる科学技術の開発過程は、ローカルな文化とそれぞれの地域における男女の役割や生態系を考慮する。１９８０年代、マラウイの上水道開発事業は、科学技術を現実に導入するときに地域の女性の知識がいかに重要かを教えてくれる事例だ。マラウイにきれいな水を供給するためのこの事業は、はじめは失敗に終わった。その地域の女性を排除したためだ。

マラウイで水を運び、供給する仕事は、主に女性が担っていた。女性たちは、村の男性行政官や西欧のエンジニアよりも、地域の環境と水についてよく知っていた。エンジニアたちが地域の女性の知識を積極的に活用し、女性たちが管理者として訓練を受けて事業現

10　Julia E. Romberger, "Ecofeminist Ethics and Digital Technology: A Case Study of Microsoft Word," *Ecofeminism and Rhetoric: Critical Perspectives on Sex, Technology, and Discourse*, Douglas A. Vakoch (ed.) (Berghahn Books, 2011), pp.117-144.
11　Karen J. Warren, "Taking Empirical Data Seriously: An Ecofeminist Philosophical Perspective," *Ecofeminism: Women, Culture, Nature* (Indiana University Press, 1997), pp.3-20.

場に投入されるにつれ、地域住民の水へのアクセスや水質が大きく改善されていった。

上水道開発事業が成功し、地域の女性や子ども、青少年たちは毎日重たい水桶を背負う仕事から解放され、学校に通えるようになった。女性の教育へのアクセスを高める付帯効果につながったのだ。地域の女性が蓄積した周囲の自然に関する知識と労働経験は、科学技術がより効力を発揮できるようにし、改善された科学技術は女性の生の質《クオリティ・オブ・ライフ》（QOL）と社会経済的地位を高めた。エコフェミニズムと科学技術は、こうした好循環のなかで出合うものだ。

エコフェミニスト、エンジニアを求む

2021年4月22日の「地球の日《アース・デイ》」、アメリカの自動車メーカー、テスラの代表イーロン・マスクは、地球上の大気の二酸化炭素を除去する新技術を開発した人に、賞金1100億ウォンを支払うと公表した。彼は大災厄を前にした人類が、地球ではなく別の惑星に居住する可能性も模索しており、いわゆる火星探査プロジェクトを推進している。欧米の男性エンジニアで事業家の彼が、アントロポセンの危機を克服する方法として提出した案がこれである。

しかし、果たしてマスクが提示した巨額の賞金を求めてつくられた技術が、インドやアフリカの大勢の女性やその生活の場をよりよいものにできるだろうか？　アントロポセンという危機が、人類の半分に当たる女性がさらされている問題に目をつむったまま、自然は征服することができるという自信だけで克服できるだろうか？　エコフェミニズムの理論と実践は、自然と女性、ひいては地球と人類があちこちで再びつながれるよう認識し、ケアする科学技術の重要性を訴えている。

「女神よりは、サイボーグになりたい」

ダナ・ハラウェイの有名な宣言は、エコフェミニズムとは正反対の言葉のように解釈されることがある。[12] しかし当の本人は、人間ではなく世界を能動的な主体とみなそうと、誰よりも熱心に主張している人たちこそがエコフェミニストなのだと評した。[13] ハラウェイは、どのフェミニストよりも、物質《もの》としての自然が持つ力と抵抗を強調した学者だ。自然は誰かが勝手に利用できる資源ではない。女性もまたしかりだ。

気候危機と感染症の大流行の時代に自然と人間が共存するためには、競争と支配の戦略

12　Nina Lykke, "To be a Cyborg or a Goddess?," *Gender, Technology and Development* Vol.1 no.1 (1997), pp.5-22.

13　Donna Haraway, Op. cit., p.199.

の代わりに、ケアの戦略が必要だとヴァンダナ・シヴァは言った。[14] 競争と支配を優先する戦略が地質時代を歪曲するほどの科学技術を生んだとするなら、ケアを基本原則に据えた戦略は、地球と人類を救う科学技術をつくるための希望である。そんな科学技術がどうしたら可能なのか、イーロン・マスクはおそらく想像すらできないだろう。今、私たちにとって必要なのは、変わり者のエンジニアではなく、エコフェミニスト・エンジニアだ。

14　ヴァンダナ・シヴァ「地球と女性が中心になる『エコフェミニズム世界』に行こう」キム・パク・スヨン＝訳、『ハンギョレ』2021年1月21日［韓国］

おわりに
思い通りにならなかった私の人生から始まる科学技術

人は抽象的な概念や理論、難しい数式などの壁にぶつかると、科学を遠ざける。複雑で難しい科学、得意でもない科学を好きになるのは、なんとも難しい。高校生のときに文系と理系に分かれた生徒たちは、大学で何を専攻するかを悩み、大学以降の進路を決め、科学の成績を基準にして科学者という職業を選ぶ。科学、特に物理学と工学は男性のほうが得意というステレオタイプは、現実の反映に思える。そんなふうにして、女性の科学技術者よりも男性の科学技術者のほうがはるかに多いという現象が、当たり前のこととなっていく。

科学技術分野は、性別よりも能力が優先されるため、科学が得意じゃない人は科学者になれないと言われる。科学の「神話」のなかでは、性別だけでなく人種、年齢、階級、障害の有無など、いかなる個人的な違いも、「能力」の前では無意味となる。高校と大学で、私よりもはるかに科学が得意な男子生徒に会ったとき、私自身もそう信じていた。私が科学者になる夢を諦めたのは、科学が得意ではないからなのだ、と。

あとになってわかった。この世にはジェンダー・バイアスなるものが実際に存在していて、その通念が私にも影響を与えていたのだと。「やっぱりああいう人が科学者になるべきなんだろうなあ」。そう思っていた天才は、だいたいが男性の同僚だった。私と似たような成果を出す少数の女性の同僚を見たときには、「あっ、あの人、男顔負けの実力だな」と思った。私に何か特別な偏見があったわけではなかった。ジェンダー・バイアスは、すべての人の目には見えないが、女性、特にかつて科学者を夢見ていた女性の現実に強烈な影響力を発揮する。「女のくせに理工学部とは」という言葉から「女は理工系にいくと体力でついていけないぞ」、「いくら勉強ができるからって、〈科学者になどならず、もっと堅実に〉医者や教師にでもなっていい旦那を見つけて子どもを産むのが一番だ」という言葉まで、さまざまなバージョンのジェンダー・バイアスが、科学者になりたい女子学生たちのやる気を削いできた。[1] その結果が、科学技術分野の性比の格差である。

1　2017年に始まった「理工系内性差別アーカイビングプロジェクト」は、実際の性差別経験者からの情報提供を匿名で集め、閲覧できるよう公開リンクをシェアしている。

数字が隠す現実

　科学技術者の性比の不均衡は、数年にわたる統計資料にもはっきりと表れた理工系の現実である。２０１０年からの10年間にわたって男女科学技術者の男女比の現況を調査した報告書は、２０１９年に理工系学科に入学した大学生のうち、女性の比率は29・２％で、70・８％を占める男性の半分にも満たないことを明らかにした。[2] そもそもはじめから少ない理工系の女性は、職場での地位が上がるにつれてさらに少なくなる。大学卒業後に科学技術者の道に進み、管理職まで上りつめる女性の比率は10・６％に過ぎない。古びた水道管から水がちょろちょろ出てくるように科学技術の世界に足を踏み入れた女性たちですら、長く生き残ることはできないのである。

　また、もう一つの問題は、先ほどの29・２％という数値が、単なる平均を意味しているに過ぎないという点だ。大学の理工系学科を自然科学系と工学系に分けるとき、二つの系列に属する女子学生の比率は、前者が52・３％で後者が25・１％と、大きな違いがある。比較的、性比の均衡を保っているように見える自然科学系とは違い、工学系は相変わらず４人のうち３人が男子学生なのだ。自然科学系のなかでも被服学科や食品栄養学科のように、女子学生が全体の約80％を占める学科がある一方で、物理学科はその比率が27％、工学系の自動車工学科は7％にとどまる。このように、理工系学科の女子学生比率の平均値は、専攻ごとにみられる差異の格差を隠してしまっている。

そのうえ、こうした専攻間の格差は、時間が経っても改善もしなければ変化もしない。女子学生の比率が平均に及ばない学科はおおかた決まっている。２０１２年に女子学生の比率が30％に満たない学科として報告された専攻は、自然科学系の物理学科、工学系の自動車工学・機械工学・電子電気工学・半導体工学・建築工学・情報通信工学・コンピュータ工学などで、こうした現象は２０１９年の調査結果でもそのままであった。

科学技術系の性比の不均衡は、全世界、どの国でも見られる現象だ。アメリカやヨーロッパをはじめとする大部分の国では、科学技術系の人材を受け入れ、また、人材誘致のために女性科学技術者を育成支援する政策を実施している。韓国もまた２００２年に関連法を制定し、２００４年から多くの女性科学技術者の育成および支援のための基本計画を施行してきた。政策目標は、よりたくさんの女性が科学技術界に進み、そこで長期的なキャリアを築いていけるよう手助けすることだ。

女性を対象にした政策の成功の如何は、女性人材がいかに増えたかで評価される。２０

2　韓国女性科学技術支援センター「２０１０～２０１９男女科学技術人力現況」２０２０年

00年初頭に10%台だった科学技術研究開発人材の雇用人員のうち、女性の比率は2019年には20・7%となり、二倍に増えた。明らかに政策の成果といえる。しかし、この成果の裏には、自然科学系と工学系の性比の格差、そして女性学生のほうが多い専攻と男子学生のほうが多い専攻というはっきりとした区分が今も変わらず存在する。工学分野の女性人材を養成するための別事業を推進しているにもかかわらず。

能力主義者たちを黙らせる結果

能力主義《メリトクラシー》の信奉者たちは、科学技術系こそもっとも能力が重要なのだから、結局のところ「性別ではなく実力の問題」なのだと口にする。そして彼らは、圧倒的な実力でガラスの天井を突き破った少数の女性科学技術者たちを例にあげるのだ。実力さえあれば、女であれ男であれ、誰でも科学者になれる。こうした主張は、偏見《バイアス》と固定観念《ステレオタイプ》のせいで科学者への道を諦めたり、今も科学者として苦労したりしている多くの人々を見ていないからこそ口にできるものだ。

メリトクラシーの神話は、すべてを個人の能力の結果と考えるため、どんな統計を前にしても、男子学生や男性科学技術者に匹敵する女子学生と女性科学技術者は、結局その程度の比率しか存在しなかった、というふうに結論づける。メリトクラシーの信奉者たちの目には、科学技術分野の女性政策は、実力の足りない女子学生を科学技術界に呼び寄せ、実力ある男子学生を無念にも脇に追いやってしまう政策として見えるようだ。こうした主張を点検するためには、実証的な研究が欠かせない。

2020年の『サイエンス』誌に、アメリカの高校生5960人の成績と進路選択を7年間にわたり追跡調査した論文が掲載された。ニューヨーク大学で経済学と教育政策を専門とするジョセフ・シンピアン教授の研究チームが発表したものだ。[3] アメリカ国内で慢性的に女子学生の比率が低い物理学・工学・コンピュータサイエンス専攻の性比の不均衡に焦点を当てて、参加者の高校時代の数学と科学の成績、ならびに大学進学時の専攻選択のあいだの相関関係を調査した、骨の折れる研究だ。

研究チームによれば、物理学と工学系を専攻した男子学生が、専攻分野の関連科目すべてにおいて成績がよかったわけではないことがわかった。これとは反対に、女子学生のうち、成績の良い学生はだいたいその成績のいい専攻科目を選んだ。こうした傾向は、数学

3 Joseph R. Cimpian, Taek H. Kim, & Zachary T. McDermott, "Understanding persistent gender gaps in STEM," *Science* Vol.368 no.6497 (2020).

や科学の科目において、100人中上位20位に属する成績上位クラスの女子学生と、90位から100位のあいだに属する最下位クラスの男子学生が、同じ比率で物理学あるいは工学系を専攻に選んだという事実に端的に表れている。賢い女子学生が自分の科学の実力を疑って専攻に悩んでいるあいだに、男子学生は実際の成績は非常に悪いにもかかわらず、難しい理工系専攻を選んだのだ。下位10％以下の最下位クラスなのに物理学と工学系に進む学生の数は、男子学生が女子学生よりも10倍も多かった。

女子学生がはじめから物理学・工学系専攻を希望していた場合、成績がよければ進学できた。一方、男子学生は成績が悪くても最初から望んでいなくても、同じ専攻を選んだ。となると、物理学・工学分野における性比の不均衡が深刻な理由は、男子学生が女子学生よりも能力が高いからではない。この分野に能力不足の男子学生が過剰に進んでいる点にこそ、その理由が求められるべきだろう。研究チームは、物理学・工学系専攻の性比の不均衡がメリトクラシーの結果ではなく、むしろメリトクラシーに逆行する現象だと結論づけた。

驚くことに、科学技術分野ではメリトクラシーが機能していない。文字通り、「神話」と称して過言ではないだろう。男子学生は、個人の能力がどうであれ、周囲でいつも自分と似たレベルの能力を持った同僚や先輩に出会えるため、自らを疑うことがない。反面、女子学生は、圧倒的な実力で男性の同僚たちとの競争に勝ってきたというエリートタイプの女性ばかりをロールモデルにするにはハードルが高い。彼女たちは、自分の能力を常に証明するか、あるいは（それが難しければ）能力が足りない自分自身のせいにしながら、消耗していく。こうした雰囲気が続く限り、女性が適切な能力を持っていたとしても、科学技術界に進むことをためらってしまうだろう。仮にその道を選んだとしても、途中で諦めてしまうだろう。そうやって女性が去った場所を、その人と同等の能力か、あるいはそれ以下の能力しかない男性たちが埋めているというのが、長らく続いている性比不均衡の本当の原因である。

数字は重要だ。科学技術界で女性が少数派《マイノリティ》として存在する以上、女性科学者は科学者である前に女性としてまず認知されるほかない。ひいては、男性科学者が科学技術の生産を独占する以上、女性の体を研究する科学、フェミニスト科学、多様性を受け入れる科学などは試みるのも難しい。優れた女性が科学技術の世界に参入するだけでは、この比率を改善することはできない。科学が本当の意味で変化するためには、賢い女子学生ではなく、平凡な女子学生こそもっと必要なのだ。

すべての男性科学者がノーベル賞を受賞するわけではないように、女性科学者だからといってそのすべてがノーベル賞を受賞しなければいけないわけじゃない。2007年、アメリカ国家科学賞を受賞した核物理学者フェイ・アジゼンバーグ＝セラブはこう語る。「ハーバードだろうと、どこだろうと、二流にすぎない男性教授がたくさんいる。私は、二流にすぎない女性研究者が大学の終身在職権《テニュア》を得られるようになったら、そのときこそジェンダー差別はなくなったと言えると思う」。科学技術の世界の平等と多様性は、平凡な女子学生が平凡な男子学生の数と同じくらい科学者や教授になったときに、やっと成し遂げられたと言えるのだろう。

自分の人生における科学技術とつながってみたら

読者のみなさんすべてが理工系に進路を変えるというのは、現実的ではないだろう。でも、科学者や工学者になりたいという女の子や青少年が周囲にいたら、めいっぱい励ましてあげてほしい。恐れることはないと、応援してあげてほしい。ステレオタイプやバイアスにもとづく誰かの発言のせいで恐れを抱いている人がいたら、勇気づけてあげてほしい。似たような専攻分野が好きな女子学生同士がしょっちゅう顔を突き合わせて、互いに励まし合い、関心のあることを共有したりサポートしたりしてあげられるのなら、なおいいと思う。それから、「実力さえあれば女でもなんだってできる」といった言葉の代わりに、「今までそこそこしか勉強してない男子学生だって科学者になれたし、科学界の80％に所属できているんだよ」と付け加えてあげてほしい。もちろん、進路に悩んでいる読者には、理工系専攻を強くお勧めしたい。〔理工系は〕私たちの暮らしと社会を実質的に変化させられる人工物をつくり、知識を生産することのできる魅力的な分野だ。あなたが世界で一番の科学者になれなくても、科学をより多様に、より有用なものにするために、いくらでも貢献できるはずだ。

科学知識は、科学者の思い通りに変えられるわけじゃない。女性科学者だからといって、フェミニスト科学者だからといって、前例のない研究をたった一度で完成させられるわけじゃない。科学者の実験室には自然もあるが、道具もある。もし科学に客観性と呼べるものがあるとしたら、それは人間が完全に予測したり制御したりすることのできない自然と事物、つまり人間以外の存在のうちの、生命ある存在と生命のない存在すべての力のおかげである。天才科学者のおかげなどではない。科学者は、人間の言語が通用しない存在を理解し、それらと意思疎通して、必要に応じて動員するために長い時間トレーニングを受ける。科学者と同じレベルで自然や事物の言語を習得していない人が、科学そのものを難しく感じるのは当たり前のことだ。それでも、科学は自然と事物を理解し、それらと意思疎通し、操作できる、もっとも信頼できる知識なのだ。

特定分野の科学者になるのでないなら、〈科学者ではない一般市民は〉広大な科学技術の世界をどこから探索していけばいいだろうか？　私は、科学技術についての関心が、「子どものような純粋無垢《ピュア》な好奇心」からばかり出発するわけではないと思っている。私たちは、自然と事物が自分の体や暮らしと複雑に絡み合っていることを十分に理解した、大人の手垢のついた現実感覚からこそ出発すべきだ。本書で見てきたように、科学技術についての理解は、自然と事物の世界と自分との結節点に根差している。それぞれの出発点は、卵子凍結について悩むこともかもしれないし、高校を卒業してすぐに受けた二重《ふたえ》手術かもしれない。あるいは、化粧品の広告ばかり流してくるSNSだったかもしれない。それこそさまざまな要素が混ざり合う、複雑な個人の暮らしから始まる科学技術だ。女性が科学技術と取り結ぶさまざまな関係や体験についての分析は、フェミニズムと科学技術の両方に属している。憂うつな女性たちに抗うつ薬を売りつけ、金の座布団にあぐらをかいた製薬会社を批判ばかりしているわけにはいかない。若い女性たちがうつ病で命を絶ったり、苦しんだりしているのを、悲しんでばかりはいられない。美の基準とは、社会的に構築されたものであり、人種主義《レイシズム》や家父長制イデオロギーに汚染されたものでもあるが、それでも現実に整形手術をする人たちはとても多い。ありのままの自分を愛することは非現実的だし、整形手術で望み通りのアイデンティティをすべて手に入れられるというのもまた非現実的だ。抗うつ薬が変える体、整形手術が変える体について語る言語が必要なのだ。

神秘的でいるべきじゃないのは、女性だけではない。科学もまた、神話から脱するべきだ。科学の知識は、その知識をつくる人間とは無関係であり、客観的で価値中立的な成果物だとみなされている。複雑に絡み合った体と暮らしは、遠く離れた、純粋で深奥な世界に属している何かのようだ。しかし、本書で示したように、科学自体もまた複雑を極めており、現実の科学者もそこで孤軍奮闘中だ。フェミニズムと科学技術論が科学を覆っていた神秘のベールをはがしたのだから、これからは現実の科学を見守り、支えていく番だ。

科学がすべての知識の〈はしごの〉てっぺんにあるとか、社会のあらゆる問題を解決してくれるとかいう思い込み、すなわち科学主義・科学万能主義は、科学が神話化されたときにのみ機能する。神秘のベールを脱いだ科学に、もはやそういう思い込みは通用しない。生物学がすべてを決定するとみなす決定論的な世界観や、生物学に人間の本質を見いだそうとする本質主義もしかりだ。

もはや神秘的でもなんでもない科学と女性が出合ったら、どんなことが起こるだろうか？　新しい科学の誕生？　新しい女性の登場？　少なくともそれは、今のフェミニズムや今の科学とは違ったものになるだろうが、まだこの手に確実につかめたものではない。だからまた怖くなって、焦りが出てくる。そういうときにいつも思い浮かべるエピソードがある。フェミニスト科学論者サラ・フランクリンが研究現場である実験室で、顕微鏡で細胞核を観察したときの話だ（本書10章も参照）。

初心者には、顕微鏡で細胞核を見るというとてもシンプルなことすら難しく思える。目があれば見えるものではない。見るというのは、見る方法を学ぶということで、学びには失敗と反復がつきものだ。フランクリンは数えきれない試みの末に、とうとう顕微鏡の向こうに細胞核を見た。しかしその様子は、彼女が見ようと頑張り、期待し、想像していた姿とは完全に違ったという。当たり前の見慣れたやり方では、新しいものは見えてこない。細胞核がフランクリンの目の前に姿を現すまで、彼女は似て非なる行動を延々と反復し、さまざまな失敗を通して期待を上書きしていったのだ。自然と事物、そしてそれらと絡み合っている私たちの体と暮らしも、そういうものなのだろう。

このつながりと絡まり、それらが入り混じった現実は、フェミニズムや科学技術がこれまでに選択してきた方法論では解きほぐせない。それは無数の失敗を繰り返してやっと目にすることができるもの、と言ったほうがいいかもしれない。その試みがすでに始まっていたということを、本書を通してはっきりと皆さんにお伝えできたのではないだろうか。天才科学者よりも、わきまえない、神秘的じゃない女たちのほうが、仕事をやり遂げる可能性が高い。科学の内外で女性たちが科学と親しみ、科学を通じて遊びや文化、政治を自分のものとすることができたなら、そのとき、自然と事物はどんな新しい姿を見せてくれるだろうか、今から期待で胸が高鳴る。

感謝のことば

本書は『ハンギョレ』〔韓国の日刊新聞〕に、2020年7月から2021年6月までの1年間連載した「女性、科学と出合う」の14編の原稿から始まった。フェミニズムと科学というテーマで新聞の1ページを使わせてくれるだなんて、めったにないことだ。連載を企画してくれた記者のイ・ユジンさんとキム・ジンチョルさんにまずは感謝したい。特にイ・ユジンさんは、記事の見出しや紙面構成を共に悩み、新人である筆者を力いっぱい応援してくれた。

女性と科学をテーマに研究していた私に、イ・ガム文解力《ムネリョク》研究所を通じて出版を提案してくれたチャン・ウンス代表と、編集者のメン・ミソンさんにも感謝を伝えたい。以前も何度か出版のオファーはあったのだが、そのたびにまだ準備ができていないと感じていた。メン・ミソンさんともその頃から深く関わるようになり、なんだかんだと理由をつけて執筆を後回しにしてきた私に、彼女が活を入れてくれた。メンさんへの信頼と愛情は、連載のたびに原稿をあいだにして向き合った時間の分だけ深まっていった。シン・ジョン編集長は、マスメディアに不慣れで、意識の流れのままに綴った私の初稿を、読者目線で整えてくれた。その労苦に感謝する。

『神秘的じゃない女たち』は、民音社の野心あふれる「探究《タムグ》」シリーズの4冊目となる。若い国内研究者と執筆陣を発掘し、今の時代に呼吸するような学術的言説が、独特の美的センスをともなって形になったものだ。かなりタイトなスケジュールにもかかわらず、編集者のシン・セビョクさんが完成度を高め、デザイナーのユ・ジナさんが想像を超える大胆な表紙を手掛けてくれた。この表紙をはじめて見たときの驚きは今なお鮮明だ。本書の始まりから終わりまでを共にしてくれた編集者メン・ミソンさんには感謝してもしきれない。すべての文章に彼女の魂が宿っている。科学技術論の研究者として私が抱えてきた問題意識を文章で伝えるべきときには冷静な編集者として、ときには熱心な読者としてそばにいてくれた。

推薦文を書いてくださったお二人にも心から感謝したい。世界的な科学哲学者でもあるケンブリッジ大学のチャン・ハソク教授は、私がつねづね尊敬してきた研究者だ。多元性を祝おう、実在から学ぼうといった、私だったら「宣言」にとどまってしまうような話を、彼は科学史と科学哲学を行き来する言語で、抵抗できないほどの論理をもって繰り広げていく。私もまた、多元主義と実在主義を強く支持する意思を明らかにしておこう。作家のキム・チョヨプさんは、科学技術についての新たな物語を紡いでいる。彼女のおかげで、40代以上の男性読者がメインの科学書籍市場に、20〜30代の女性が楽しめる科学書籍が一冊くらいはあってもいいという夢と希望を抱けるようになった。

フェミニズム科学技術論を研究する者たちの軌跡と共に、もう少しだけ言及したい人がいる。「サイボーグ宣言」を書いたダナ・ハラウェイ教授は、女性、フェミニズム、科学という新たなキーワードでもって、私をフェミニスト科学技術論の世界に招き入れてくれた。刊行に際して彼女からもらった応援メッセージが、大きな力になった。フェミニスト科学技術論者のカリス・トンプソン教授は、博士号を取得したばかりの私をロンドン・スクール・オブ・エコノミクスの社会学科にポスドクとして迎えてくれた。私はトンプソン教授の研究から、フェミニズムと科学技術論が接するときに避けられない不安を研究資源として活用する方法を学んだ。学問的にも個人的にもチャレンジングな人生を送る彼女にその秘訣を尋ねると、「妥協」という一言が返ってきた。そのときから妥協は、私の人生戦略になった。本書もまた、多くの妥協を経た末に誕生したものである。

本書の核心にあるアイデアは、私の人生のところどころに痕跡を残している。ソウル大学科学技術学科の関連専攻講義「科学技術とジェンダー」で出会った情熱と才能にあふれる学生たち、なかでも共同研究者でもあるキム・ドヨン、チャン・ミンジェ、シン・イノ、ユン・スミンに感謝する。指導教授であるソウル大学科学学科のホン・ソンウク教授のおかげで、私は科学技術論の研究者になることができた。またその指導においては、深い愛情を注《そそ》いでいただいた。もう一つの痕跡は、２０１８年から2年間進めてきた韓国研究財団の「科学技術とジェンダーの共同生産にもとづく科学技術分野女性人材養成」プロジェクトにも残っている。淑明《スンミョン》女子大学グローバルガバナンス研究所のチェ・ドンジュ教授、ハン・ユジン教授は常に励まし、またご配慮くださった。

原稿を執筆しているときに、真っ先に思い浮かんだ読者の顔は、周囲にいる女性たちだった。私が女性研究者として覚醒したまさにその時期は、大学院の後輩であり教え子でもあるキム・ミナとペク・カウルと共にいた。前途有望なノンフィクション作家ハ・ミナとして活動するキム・ミナと、デジタル性暴力〔盗撮データの拡散やリベンジポルノなど、デジタル機器を用いた性犯罪のこと〕について研究し、その対策のために活動し、フェミニスト雑誌『ラディッシュ』の編集長としても大きな役割を果たしているペク・カウル。二人の限りない信頼と連帯に私は常に感動している。頼りがいのある後輩チョ・ヒス、カン・ミリャン。みんなで集まった科学技術女性研究グループは本当にありがたく大切な存在だ。２０２１年に刊行となった『謙虚な目撃者たち』〔未邦訳〕の共著者であるキム・ヨンファ、ソン・ハナ、チャン・ハウォンの名もここに記したい。この有能な科学技術論の研究者たちと学会で取り上げられている最新の論点、理工系の現場の話、アカデミアで生きる女性の喜びと悲しみを分かち合う時間は、私にとって人生の楽しみであり、研究するうえての滋養分となっている。共に耐えて共に成長する幸せを教えてくれた三人に、心からの愛を送る。

最後を飾るのは家族たちだ。いつもダイナミックなエネルギーと愛を送ってくれる娘のクォン・ユハと夫のクォン・ヒョクに感謝する。未熟ながらもこの本を、これまで娘の仕事に対し全幅の信頼を寄せ、実質的にサポートしてくれた両家の両親チョ・ウンレ、リュ・グァンスン、クォン・ビョンジュン、イム・ジョンに捧げる。

『神秘的じゃない女たち』は、科学と縁遠い読者のための本である一方で、それぞれの分野で社会と人間について悩んでいる科学技術者のための本でもある。フェミニズム、女性、科学が交わる地点には、私のような科学技術論者ばかりがいるわけではない。現場にはもっとたくさんのフェミニストと女性科学者・工学者・医療関係者・開発者たちがいる。新たな知識と実践をつくり、技術を革新する主人公たちだ。科学技術のなかにはすでにフェミニズムと女性が存在している。そのことを思い出せてくれる科学技術者たち、とりわけ科学技術分野において今なお少数派である女性の科学技術者たちに尊敬と感謝の気持ちを送る。本書が、科学技術の内外の女性たち、そして科学技術の多様性の問題に関心のあるすべての人をつないでくれることを願っている。

訳者あとがき

民音社の「探究《タムグ》シリーズ」は、今注目すべき若い世代の研究者を著者に迎え、彼らが日常の中で見いだしてきた問題意識を率直に取り上げながら、理論を実践に結びつけていこうと提案するシリーズだ。今日《こんにち》の哲学、同時代文学、メディア環境などのテーマからスタートした本シリーズは、学術書と一般書に二分されていた市場に橋を架けたと評価され、シリーズ4冊目となる本書『神秘的じゃない女たち』にも、2022年夏の刊行以降、多くの読者から強力な支持と熱いレスポンスが注《そそ》がれた。

昨年開かれたソウルブックフェアの会場で、どこよりも目を引いたのも『神秘的じゃない女たち』のブースであり、著者であるイム・ソヨンのトークショーだった。原書の真っ赤な表紙にルージュのイラストをあしらった巨大な電光掲示板の前で、20代から30代と思われる大勢の女性読者が、著者の一言ひとことを懸命にメモする姿が印象的だった。イベント後は、著者のサイン会に長い行列ができた。彼女たちは明らかにイム・ソヨンにエンパワメントされ、励ましてもらいたがっているように見えた。当日、その場に居合わせた私（訳者）の目には、2016年（とりわけ江南《カンナム》駅女性殺人事件）以降、フェミニズムがリブートされ、激しい波が押し寄せた韓国で、今の若い女性たちがより科学的に検証された理性的な言語でもって、フェミニズムにまつわる問題についてディスカッションしたがっているようにも映った。

『神秘的じゃない女たち』は、女性の身体やジェンダーと科学技術との関係を研究するイム・ソヨンが、フェミニズムと科学技術社会論（ＳＴＳ）の観点から、科学を女性にとってより身近な存在にたぐりよせていく過程そのものである。生物学的な本質や女性という普遍的なカテゴリから脱し、一人の科学者として、女性の立場から科学にアプローチしたり、あるいは科学のほうから女性を観察しようとしたりする際に直面するさまざまな論争点を、専門的な議論をもとに一つ一つ検討していく。

著者の提案する科学探究の出発地点は、純粋な好奇心というよりもむしろ、私たちの身の周りにある見慣れた現実にある。例えば、「市販薬の成人1日1回1粒という表記には女性も含まれているのか？　１８０センチ70キロの人も、１６０センチ50キロの人も同じ容量を服用して大丈夫なのか？」といった卑近な疑問から、その探究は始められる。本書で提示される数々の問い――「妊娠や出産の問題になると、母性が全面に取り出され、父性や精子の問題よりも、卵子の質や卵子凍結の未来についてばかり議論されるのはなぜか」「そもそもなぜＡＩ（人工知能）は人間に似ていないといけないのか」「アシスタントロボットの音声はなぜ女性の声がデフォルトなのか」――もまさにそうだ。

「科学知識」や「科学技術」というと、それを作り出す人とは無関係な、客観的で普遍的で価値中立的な成果物であると思われがちだが、本書の探究の過程で明らかになる通り、実はそこには根深いジェンダー差別やバイアスが存在する。一方、私たちの身体や生活、人生と複雑に絡み合っている科学も、すべて科学技術の一つの姿であると、著者は日頃から主張してきた。

そうしたなか、本書の刊行に際したインタビューでは、性差別的な歴史を持つ科学の世界で女性が研究を続けていくことの不安を打ち明けてもいる（「科学技術学者イム・ソョン『女性が科学と出会ったら』」『チャンネルＹＥＳ』２０２２年8月3日）。自分自身が批判してきたはずの巨大なシステムに、自分も屈してしまうのではないかという不安と緊張が常にあるのだ、と。また同インタビューでは、男性研究者は科学の世界に属するだけで互いの能力が保証されるのに対し、女性研究者はいつも自身の能力を立証するために消耗し、疲弊する。その違いは男性たちのメンバーシップにあるとも指摘している。著者は、日頃の研究や教育のみならず、本書のような一般書の執筆や、「女性科学技術研究グループ」（２０１9年）という女性科学者のメンバーシップグループを実際に結成するなど、行動することでこうした不安や緊張に立ち向かう姿を私たちに見せてくれている。その姿に、私たちは確かに力をもらっている。

韓国で、理工系に進学する女性は増えてきているとはいえ、まだまだ科学界には女性の声が必要とされている。いまだに「リケ女」という表現がひとり歩きするケースもある日本の現状と通じる部分もあるだろうか。本書は、韓国のみならず、日本における科学者を夢見る女性や、科学に馴染みのない読者、女性は数学や科学に弱いという偏見に苦しんだことのある女性などにとって、科学的に検証された返答を用意してくれている。まさに「女性と科学の基本書」になると言えるのではないか。

科学には、充分に偏向的な側面があるし、客観的じゃない場合もある。だからこそ、科学知識を学び、吸収しつつ、ときにはある程度の妥協も受け入れながら「矛盾」に立ち向かおう。そのためには、問題意識を共有できる同僚たちの存在が大切になってくる。変化を模索していく女性たち――とりわけ「平凡な」女性たち――が力を合わせていけば、科学を変えることも可能なのだと、イム・ソヨンは信じる。彼女の信念は、日本の読者たちにも有効であるはずだ。

2024年2月

オ・ヨンア

Press, 2008)
Virginia Hayssen & Teri J. Orr, *Reproduction in Mammals: The Female Perspective* (Johns Hopkins University Press, 2017)
Wenda Trevathan, Ancient Bodies, *Modern Lives: How Evolution Has Shaped Women's Health* (Oxford University Pres, 2010)

Kathleen Richardson, *An Anthropology of Robots and AI: Annihilation Anxiety and Machines* (Routledge, 2015)

Lara Stevens, Peta Tait & Denise Varney (eds), *Feminist Ecologies: Changing Environments in the Anthropocene* (Palgrave Macmillan, 2018)

Londa Schiebinger, *Gendered Innovations in Science and Engineering* (Stanford University Press, 2008)

Mary Ann Mason, Nicholas H. Wolfinger & Marc Goulden, *Do Babies Matter?: Gender and Family in the Ivory Tower* (Rutgers University Press, 2013)

Magdolna Hargittai, *Women Scientists : Reflections, Challenges, and Breaking Boundaries* (Oxford University Press, 2015)

Mar Hicks, *Programmed Inequality: How Britain Discarded Women Technologists and Lost Its Edge in Computing* (MIT Press, 2018)

Maria Mies & Vandana Shiva, *Ecofeminism* (Zed Books, 2014)

Mari Ruti, *The Age of Scientific Sexism: How Evolutionary Psychology Promotes Gender Profiling and Fans the Battle of the Sexes* (Bloomsbury Academic, 2015)

Meredith Broussard, *Artificial Unintelligence: How Computers Misunderstand the World* (MITPress, 2018)

Rana el Kaliouby & Carol Colman, *Girl Decoded: A Scientist's Quest to Reclaim Our Humanity by Bringing Emotional Intelligence to Technology* (Currency, 2021)

Rosi Braidotti, *Metamorphoses: Towards a Materialist Theory of Becoming* (Polity, 2002)

Safiya Umoja Noble, *Algorithms of Oppression: How Search Engines Reinforce Racism* (NYU Press, 2018)

Sandra Harding, *The Science Question in Feminism* (Cornell University Press, 1986)

Sandra Harding, *Whose Science? Whose Knowledge? : Thinking from Women's Lives* (Cornell University Press, 1991)

Sarah Blaffer Hrdy, *Mothers and Others: The Evolutionary Origins of Mutual Understanding* (Belknap Press, 2011)

Sarah McKay, *Demystifying The Female Brain: A neuroscientist explores health, hormones and happiness* (Orion Spring, 2018)

Stacy Alaimo & Susan Hekman (eds.), *Material Feminisms* (Indiana University

ダナ・ハラウェイ+ジェシカ・アマンダ・サーモンスン+サミュエル・ディレイニー『サイボーグ・フェミニズム【増補版】』巽孝之=編訳+小谷真理=訳、水声社、2001年
ダフナ・ジョエル+ルバ・ヴィハンスキ『ジェンダーと脳——性別を超える脳の多様性』鍛原多惠子=訳、紀伊國屋書店、2021年
ネッサ・キャリー『エピジェネティクス革命——世代を超える遺伝子の記憶』中山潤一=訳、丸善出版、2015年
マーティー・ヘイゼルトン『女性ホルモンは賢い——感情・行動・愛・選択を導く「隠れた知性」』西田美緒子=訳、インターシフト、2020年
ランディ・フッター・エプスタイン『魅惑の生体物質をめぐる光と影　ホルモン全史』坪井貴司=訳、化学同人、2022年
ロビン・ウォール・キマラー『植物と叡智の守り人——ネイティブアメリカンの植物学者が語る科学・癒し・伝承』三木直子=訳、築地書館、2018年
ロージ・ブライドッティ『ポストヒューマン——新しい人文学に向けて』門林岳史=監訳、大貫菜穂+篠木涼+唄邦弘+福田安佐子+増田展大+松谷容作=訳、フィルムアート社、2019年
ロンダ・シービンガー『科学史から消された女性たち　改訂新版——アカデミー下の知と創造性』小川眞里子+藤岡伸子+家田貴子=訳、工作舎、2022年
ロンダ・シービンガー『ジェンダーは科学を変える!?——医学・霊長類学から物理学・数学まで』小川眞里子+外山浩明+東川佐枝美=訳、工作舎、2002年

欧語

Charis Tompson, *Making Parents: The Ontological Choreography Of Reproductive Technologies* (MIT Press, 2005)
Claire L. Evans, *Broad Band: The Untold Story of the Women Who Made the Internet* (Portfolio, 2020)
Cordelia Fine, *Testosterone Rex: Myths of Sex, Science, and Society* (W W Norton & Co Inc, 2017)
Deboleena Roy, *Molecular Feminisms: Biology, Becomings, and Life in the Lab* (University of Wachington Press, 2018)
Elizabeth A. Wilson, *Gut Feminism* (Duke University Press, 2015).

エブリン・フォックス・ケラー『動く遺伝子——トウモロコシとノーベル賞』石館三枝子+石館康平=訳、晶文社、1987年

カレン・バラッド『宇宙の途上で出会う——量子物理学からみる物質と意味のもつれ』水田博子+南菜緒子+南晃=訳、人文書院、2023年

キム・チョヨプ+キムウォニョン『サイボーグになる——テクノロジーと障害、わたしたちの不完全さについて』牧野美加=訳、岩波書店、2022年

キャロリン・マーチャント『自然の死——科学革命と女・エコロジー』団まりな+垂水雄二+樋口祐子=訳、工作舎、1985年

キャロライン・クリアド=ペレス、『存在しない女たち——男性優位の世界にひそむ見せかけのファクトを暴く』神崎朗子=訳、河出書房新社、2020年

クラウディア・ゴールディン『なぜ男女の賃金に格差があるのか——女性の生き方の経済学』鹿田昌美=訳、慶應義塾大学出版会、2023年

ケア・コレクティブ『ケア宣言——相互依存の政治へ』岡野八代+冨岡薫+武田宏子=訳、大月書店、2021年

サラ・ブラファー・ハーディー『マザー・ネイチャー(上・下)——「母親」はいかにヒトを進化させたか』塩原通緒=訳、早川書房、2005年

サラ・S. リチャードソン『性そのもの——ヒトゲノムの中の男性と女性の探求』渡部麻衣子=訳、法政大学出版局、2018年

ジェームズ・ラブロック『ガイア——地球は生きている』松井孝典=監修、竹田悦子=訳、産調出版、2003年

シモーヌ・ド・ボーヴォワール『決定版 第二の性(I・II)』『第二の性』を原文で読み直す会=訳、河出文庫、2023年

シャロン・モアレム『寿命は遺伝子で決まる——長寿は女性の特権だった』伊藤伸子=訳、柏書房、2023年

ジュディス・バトラー『ジェンダー・トラブル　新装版——フェミニズムとアイデンティティの攪乱』竹村和子=訳、青土社、2018年

スティーヴ・ジョーンズ『Yの真実——危うい男たちの進化論』岸本紀子+福岡伸一=訳、化学同人、2004年

ダナ・ハラウェイ『猿と女とサイボーグ　新装版——自然の再発明』高橋さきの=訳、青土社、2017年

参考文献

注:韓国語・欧語文献で未邦訳のものは、原語のみ表記した。
邦訳のあるものは、日本語版の情報のみ掲載した。

韓国語

김덕호『세탁기의 배신』(뿌리와이파리, 2020)

김연화·성한아·임소연·장하원『겸손한 목격자들』(에디토리얼, 2021)

문성실『사이언스 고즈 온』(알마, 2021)

오조영란·홍성욱 엮음『남성의 과학을 넘어서』(창비, 1999)

이유경『엄마는 북극 출장 중』(에코리브르, 2019))

임소연「과학기술은 왜 더 많은 여성을 필요로 하는가」『다름과 어울림』(동아시아, 2021)

——「몸의 물질성: 도나 해러웨이의 사이보그 다시 읽기」『몸의철학』(문화과학사, 2021)

——「신유물론과 페미니즘, 그리고 과학기술학: 접점과 접점의 접점에서」, 『문화/과학 107호』(필로소픽, 2021)

——『과학기술의 시대 사이보그로 살아가기』(생각의힘, 2014)

조주현『벌거벗은 생명: 신자유주의 시대의 생명 정치와 페미니즘』(또하나의 문화, 2009)

최영은『탄생의 과학』(웅진지식하우스, 2019)

하미나『미쳐있고 괴상하며 오만하고 똑똑한 여자들』(동아시아, 2021)

日本語

アネマリー・モル『多としての身体——医療実践における存在論』浜田明範+田口陽子=訳、水声社、2016年

エヴリン・フォックス・ケラー『ジェンダーと科学——プラトン、ベーコンからマクリントックへ』幾島幸子+川島慶子=訳、工作舎、1993年

著者

イム・ソヨン

フェミニズムと科学技術論に出合ってから再び科学に開眼したフェミニスト科学技術論者。ポストヒューマンと体、テクノロジーとジェンダー、新唯物論フェミニズムなどをテーマに研究している。ソウル大学自然科学学部を卒業、アメリカのテキサス工科大学で博物館学修士、ソウル大学科学史および科学哲学共同過程・科学技術論専攻で博士号を取得した。ソウル江南に所在する整形外科と自身の体をフィールドにして整形技術について研究した『私はどうやって整形美人になったのか』(未邦訳)のほかに、韓国女性の体に関連した技術と医学、文化を分析した論文が『Social Studies of Science』、『Medical Anthropology』、『Ethnic and Racial Studies』、『East Asian Science, Technology and Society』などに掲載されている。現職はトンア大学基礎教養大学助教授。

訳者

オ・ヨンア(呉永雅)

在日コリアン三世。慶応義塾大学、延世大学国際大学院、梨花女子大通訳翻訳大学院卒、同大学院博士課程修了。2007年韓国文学翻訳新人賞受賞。2023年韓国文学翻訳翻訳大賞受賞。梨花女子大通訳翻訳大学院、韓国文学翻訳院講師。訳書にキム・ヨンス『世界の果て、彼女』、イ・ラン『悲しくてかっこいい人』、ク・ジョンイン『秘密を語る時間』、チョ・ヘジン『かけがえのない心』、シム・チェギョン『天文学者は星を観ない』、チェ・ジウン『ママにはならないことにしました』など多数。

神《しん》秘《ぴ》的《てき》
じゃない女《おんな》たち

2024年5月10日　第1刷発行

著者　イム・ソヨン

訳者　オ・ヨンア

発行者　富澤凡子

発行所　柏書房株式会社
東京都文京区本郷2-15-13（〒113-0033）
電話（03）3830-1891［営業］
（03）3830-1894［編集］

装丁　北村陽香

組版　株式会社キャップス

印刷　萩原印刷株式会社

製本　株式会社ブックアート

ISBN 978-4-7601-5561-3